JN047372

講談社選書メチエ

793

情報哲学入門

北野圭介

MÉTIER

はじめに

情報社会のなかの情報の光景

ほんの数十年前まで、長らくのあいだ、わたしたちは「情報社会が来るぞ、情報社会になっていくぞ」と喧しく騒いでいた。けれども、こんにち隔世の感がある、と漏らしたくなるのは筆者だけだろうか（佐藤 一九九六）。いつのまにか情報社会は、一定程度実現してしまっているようだからである。

朝起きてスマホで時刻や天気の確認をして、ニュースやメール、さらにはSNSへの書き込みをチェックする。駅に着けば券売機でICカードにチャージし、バスのなかではフロントガラスの上方に設置された画面で停留所の名前を確認する。オフィスに着けばパソコンを開いて顧客リストのアップデート作業をおこない、会議の席では取引先企業の財務状況の内部情報をどう獲得するかについて議論する。昼休みには、昨晩、家でチェックした血圧やら脈拍やらのデータを、アプリを通してかかりつけの医者と共有する。仕事が終わればオンラインで予約したレストランで友人たちと会食し、帰宅後は掃除ロボットのスイッチを入れ、そのあとは温度設定しておいたバスタブに浸かる。ふとシャンプーが足りなくなってきていることに気づき、ベッドに入る前にネットでクリックする――。

加えて、だ。二〇一九年末からのコロナ禍は、オンラインショッピング、オンライン会議、オンライン授業、オンライン飲み会までをも社会に広めた。上手に捌くことさえ求められている。いまや画像を通した会議でさえ、とくに必要がある場合にだけ開催され、ふだんはフルチャットのアプリでプロジェクト毎にメンバーが資料共有や論点整理などをすすめるのが当たり前になってきている。

こんにちの社会を「情報社会」と呼ぶのか呼ばないのかをとくに意識しないままわたしたちは日常を過ごしているのが実情なのだ。意識しない程度にまで、それは浸透したということだ。いまわたしたちが暮らす社会を「情報社会」と呼ばないなら、いったいどのような社会をそう呼ぶというのだろう。

日常生活のみならず、経済も政治も余暇も、情報技術を抜きにしては考えられない。畢竟、情報の取り扱いに遅れをとっているようでは一人前の社会人になれないといった具合だ。いや、その前に、高校や大学、下手をすると中学校や小学校まで情報機器が行き渡っていて、それを使いこなすことがごくあたり前のこととして期待されている。

情報は、それが飛び交い、暮らし向きをラディカルにレベルアップさせることが夢見られた時代から、人々がごく普通に取り扱う、そういう時代に移行したのだ。とすれば、人間と情報の関係は、踏み込んで考え直さないといけない新たな段階に入ったといってもいいのではないか。

分子から宇宙まで飛び交う情報

だとしても、こんにち「情報」という言葉が指し示す意味は、なんと多岐にわたることか。日常生活のやりとりの中での多様な使い方はもとより、巷(ちまた)には、企業情報、医療情報、顧客情報、ホームページの情報、SNS上の友人や知人の近況情報などなど、わんさかわんさかだ。それどころか、こんにちにあっては宇宙開発が新たなステージに入ったといわれるが、二〇世紀的な意味合いでの探検を越えて、観光事業、さらには人類の移住までをも視野に収めた展開が計画されはじめている。結果、無重力下での周波数データの伝達や、そうした環境における視覚や聴覚の作動、血流やホルモンバランスの変容などのセンサー開発、伝送デバイス開発、解析処理プログラムの設計などなどが、精力的に取り組まれはじめている。

たとえば、二〇世紀の思考モデルでは、情報なるものは言語を基軸に把握しようとしていた。そうした情報構造がなす人間の生に対する作用がさまざまに論じられ、「言語の牢獄」といった修辞まで飛び交っていた。だが、医療現場での生体反応データから宇宙空間における各種周波数データまで、情報の圏域が格段に拡大したこんにち、言語がどこまで依拠すべき理論モデルとなりうるかについても慎重にならざるをえない段階になってきたのではないか。人間にとっての色についても、ゲーテから遠く離れ、文化人類学的相対主義からも遠く離れ、可視光と視覚受容体や視神経の伝送速度や処理作用からとらえうる時代に入りつつあるのだ。人間の言語をモデルとすることは、もはやしっかりとした根拠づけがなされないかぎり、あやふやな物言いになってしまいかねない。

はてさて、情報なるものは、その個々の内実も、全体の実態や挙動も、不確かなままわたしたちに浸透しているのだ。情報はいまや、まったくもってつかみどころのないまま漂っていて、わたしたちの個々の生をとり巻いている。

だからだろうか。自らの生活が情報テクノロジーに、とりわけデジタル技術にますます媒介されはじめているという事態は、高揚感をもたらしたり、逆に、いいしれぬ不安をかき立てたりもしている。こんなに便利になったと気分が高まることもあれば、個人情報の行き先が心配でうなだれることも、しかるべき情報がうまく受け取れずに涙することさえあるかもしれない。こんにち、情報とその機器は、喜怒哀楽まで揺さぶる。情報が論じられるとき、メッセージ内容にとどまらず、感情や情動が話題にのぼるのもうなずけるところだ。情報に溺れたり、とりのこされたりしてしまいかねないのだ。

そのようなつかみどころのない磁力をもまとわりつかせてもいるからか、情報はいま、それ自体が価格を備えた商品であるし、人々を操る権力の源泉ともなっている。教室のなかのいじめの個々の進行が情報機器のコミュニケーションで生じていることも少なくない。情報はわたしたちを取り囲んで、ときに欲望をガイドし、ときに行動を制約さえする。チャットＧＰＴが生まれ出たのもうなずけるところだ。とはいえ、不安と期待はますます募るばかりなのだが。

情報処理という思考に向き合う思考

そもそも、わたしたちの思考自体、情報なるものを抜きにしては一歩もすすまない——そうため息を漏らしてもおかしくない、そんな状況だということだ。一昔前に「知識」と解されていたもの——たとえば、百科事典を紐解けば、そこに項目が並んでいるような知識——がさまざまに機械にのっかり、検索して数秒で調べられるようになっているこんにち、思考と呼ばれている代物が大きく変わりつつあるといってはばからない者は多数派にさえなりつつある。要するに、記憶力は、外部環境に委ねられ、それをどう処理するかこそが思考なるものの中軸を担いつつあるという見解だ。いやいや、そんな水準ではない。チャットGPTのように、そうした知識の統合そのものを、情報処理のデバイスが、あるいはアプリケーションが執りおこないはじめている。AIが組み込まれたアプリケーションが続々と放たれはじめている。わたしたちは考えること自体を、機械による情報処理に委ねつつある。

少し専門的な言い回しを重ねてみよう。

こんにちのコンピュータの仕組みをデザインしたとされるクロード・シャノン（一九一六―二〇〇一年）とウォーレン・ウィーバー（一八九四―一九七八年）にいわせるなら、情報技術はその内容に関わらない。なので技術者は、情報なんてものはニュートラルなもの、解釈されるべき素材に過ぎないもの、といった具合に捉える向きも多い。その外側での情報概念をめぐる所作や感情は、副次的なもの、二次的なものとして、もっといえば、本質的なメッセージ内容に対して外側の利用者からなされた解釈行為に過ぎない「ノイズ」として、開発論議の外に、脇に追いやられてきた。こうした捉え方が決まって繰り返され、情報の現象論の多彩さについては与り知らぬ、といった姿勢を決め込む人も少なくない――畢竟、情報機器に関しては、「実装（installation）」という得体のしれない用語に、その社会的活用法をまる投げするかのように託されることになっていたりもするのである。

そうであるのに、だ。「情報」という言葉は、曖昧な輪郭のまま、そしてつかみどころのない磁力を放ちながら、辺り一面、飛び交い、そればかりか私たちの政治や経済や日常の行動領域、いや、思考の領野にまで深く入り込みつつあるのだ。

「シンギュラリティ」と「ケンブリッジ・アナリティカのスキャンダル」の向こう側

そんななかといえばいいだろうか、そうであるからこそといえばいいだろうか、「情報」をめぐって世間を賑わす現象があれこれ生じてもいる。一つ二つとりあげておこう。

二一世紀が明けてほどなく、ひとつの語が登場するや世界中をかけめぐり、会議室から居酒屋にいたるまで、あちこちで高揚、覚悟、諦め、焦り、さまざまなリアクションを触発した――「シンギュラリティ」だ。ジャーナリストでもあり研究者でもあるレイ・カーツワイルが、二〇四五年にはコンピュータの知能が人間のそれを越えるだろう、と言い放ったのである(カーツワイル 二〇〇七)。この語が放ったインパクトはじつに大きかった。少なくとも、アカデミズムをはるかに越えて、政治家やビジネスマンが大きな声で口にする言葉になっていったのだ。

だが、同時に、異なる方向での注目も湧き上がった。二〇一八年、オンラインでの情報のやり取りにかかわって、前代未聞のスキャンダルが欧米をはじめ世界各国を動揺させた。ケンブリッジ・アナリティカという名のコンサルティング会社が、二〇一六年、イギリスにおける欧州連合(EU)からの脱退を問う国民投票、さらにはアメリカ合衆国の大統領選挙において、「マイクロターゲティング」と呼ばれる技術を用いて、フェイスブック上の個人アカウント八七〇〇万人分の情報やアクティビティを吸い上げ、それらを解析処理した上で、各アカウントに対して投票行動にかかわる各種誘導をおこなったのではないか、という疑惑が報道され、一大スキャンダルとなったのだ。八七〇〇万人のユーザーが各種誘導の「ターゲット」になってしまっていたのである。騒動は広がり、フェイスブック（当時）の創始者マーク・ザッカーバーグはそうした設定の不備を認め、謝罪広告を出し、議会の公聴会に出席するまでになった。プライバシーから情報操作まで、こんにちの情報社会の実情にきわめてダークな面が潜在していることがあかるみに出たのである。

「シンギュラリティ」という言葉が起爆剤となり、「ケンブリッジ・アナリティカのスキャンダル」が台風の渦巻きとなって、アカデミズムからジャーナリズムにいたるまで、情報技術が約束する未来に賛同する側と反対する側の双方が、それまで以上に熱く論議することになった。人間はついに完全な満足が手に入る段階に突入したと言祝（ことほ）ぐユートピア論から、人間なるものがロボットに乗っ取られるぞといったディストピア論まで、多種多様な見解が現れ、喧々囂々、侃々諤々、論議が巻き起こったのだ。そしてそれは今日にいたるも続いている。この「情報」という言葉の曖昧な輪郭、つかみどころのない磁力がいっそう視界に浮上してきたようにも思える。

こうした光景を真正面から受けとめ、その議論の群れがなす布置のありようを哲学的思考を駆動させて少しでもあきらかにしておきたい、それが本書の目論見である。

情報哲学入門◉目次

序　章　情報という問い

本書のアプローチ

二一世紀も明けて二〇年あまりが過ぎようとしているいま、情報を哲学的に考察しようと試みる本書の建てつけについて述べておこう。

まずは、「はじめに」で述べたフレーズを用いれば、情報なるものの曖昧な輪郭、つかみどころのない磁力をまるごと視野に収めようと企てる考察のフィールドを「情報という問い」というフレーズで括っておきたい。ともかくも、そう述べておこう。

十分に広い視野を確保することが、すでに一定程度実現した情報社会を測定するためには必要だろうという判断からである。とりあえず、こういっておくとわかりやすいかもしれない。本書では、情報を技術開発論的な観点でもなく、社会論的な観点でもなく、しかし双方の観点を視野に収めながら広い視野を確保し、なんとか見通しのよい考察方法をつくりだすことを企んでみたいのだ。そのためのなかば旗印のように「情報という問い」というフレーズを打ち出してみたいのである。

筆者としては学部時代に齧った程度なので大学教員として職に就くようになってからは学術的な仕事の場面ではあまり使いたくないと考え用いるのを控えていた「哲学」という語を、本書ではあえて勇気をふるって冠にかかげることにした。真正面から挑んでみたいという意気込みを表すためにほかならない。だが、それだけでもない。

むしろ、こちらの方が大事なのだが、「情報という問い」に接近するためには、「哲学」と称さざるをえない建てつけこそふさわしいと判断したのである。詳しくは後述するが、さしあたり次のことを記しておこう。

本書でいう哲学的な構えとは、世界を捉える構想の大きさ、もしくは抽象度の高さをもってそう呼ばれているのではない。このわたしが住まう世界は、わたしたちがそれぞれ個としての自身の目で捉えているものであると同時に、自身の存在もその一部である。このことは大事だ。その一点をとってみても、世界や社会をあたかも自身の外側に在るものとして素朴に描き出す見解やコメントは、どこかいかがわしさを漂わせているように思われる。技術開発論や社会論にとどまらない枠組みを求めたいのもそのためだ。

とはいえ、次のことも記しておきたい。哲学的と称しながら、構想の深さや大きさをもってそうした世界の姿を描きだそうとするアプローチがある。往々にして、根源的な原理や究極の真理といったものを探究し、その尺度のなかで目の前にある差し迫った問いに答えを見出そうとする試みだ。本書では、そうしたアプローチは採らない。さしあたり〈構想論主義〉とでも名づけておきたい、その手の探究のすすめ方は、下手をするとギリシア哲学まで辿って仕立てられるようなところがあるのだが、そのような建てつけでは十分にこんにち的な「情報という問い」に向き合えない、という判断があるということだ。この問いが抱え込む厄介さを、深遠な思弁の裡に埋没させてしまいかねないと直感されるのである。

こんにちの情報技術は、あまりにも強い強度の実在感をもって、わたしたちの生活世界を揺さぶりはじめている。わたしたちの思考を（先のケンブリッジ・アナリティカの騒動をみよ）、わたしたちの心身を（遺伝子情報の技術的操作の可能性をみよ）歓喜させたり脅かしたりするがゆえに、極端なユートピア像から極端なディストピア論までが跋扈し、右へ左へ揺さぶることさえある。聞こえはいいものの実態が定かではない根源の原理や究極の真理を持ち出したところで、わたしたちのざわつく心身への揺さぶりはそうたやすくは収まらないだろう。最悪の場合、大きな構えの構想論主義的な試みは、実効的には何も語っていないに等しいものになる――やや踏み込んでいえば、筆者はプログラミング言語のタームを解さないのにデジタル技術を「生命」や「物質」や「機械」という語を大げさに並べ立てて小難しく語る研究者に遭遇したことがある。

慎重を期しておけば、そうしたいわば知の〈構想論〉的探究が功を奏する可能性を丸ごと否定するのではない。じっさい、本書の第Ⅰ部では、そうした構想論主義の戦略の代表的で刺激的な論考を概観することになる。ではあるものの、自制的に一定程度の距離をとっておきたいのである。

次に、科学哲学という分野におけるアプローチにも触れておきたい――筆者が学部生の頃に学んだ哲学は、それに近いものだ。堅苦しくいうと、以下のようなものである。古典的な方向では、研究プロジェクトの方法論を基盤の次元で検討する、具体的には、骨格となる科学研究上の諸概念を論理分析し、ときに交通整理する。あるいはまたサブユニットの調査研究の実行可能性や組み合わせの妥当性を批判的に吟味し、当該の研究プロジェクトの実行がミスリードしないように基礎論的にガイドする。そんなアプローチだ。だが、こうしたアプローチもまた、大きくいえば本書では距離をおいて眺められることになる。

第Ⅰ部では相対的に科学哲学のアプローチに分類できる論も取り上げるし、そのあとにつづく文章では科学哲学的なアプローチに寄りかかるところも少なくない。だが、先に触れた「情報という問い」が抱え込まなくてはならない広い問題圏を交差させる際、後でみるようにはたして自然科学の営みをどこまでモデルとして扱えるのだろうか、という疑念もぬぐい去れないのだ。情報はすでに、ごくふつうのひとびとが日々その生を営む生活世界に根付きつつある。それを思えば、研究室のなかの情報は研究室のなかの情報に過ぎないかもしれないのだ。

こういうこともある。近代科学が可能となったのは、「なぜ」ではなく「どのように」という発想転換にあるということが古くからいわれる(岩崎 一九五二、一三六頁)。そうであるからこそ、「どのような具合にリンゴは木から落ちるのか」という問いは、究極の原因を探し出すという格好ではなく、現象の法則性を究明するという新しい態度から生まれた。だが、これも第Ⅱ部で詳述するように、わたしたちが日々接している情報技術は、「どのような具合に」という近代的な世界了解の上に乗っかるだけでなく、世界それ自体を新たに形作ろうとする、作り直そうとする。そこでは、まるで異なる世界了解が作動しはじめているようなのだ。だとすれば、「情報という問い」は、まったく新しい世界の存立形式を前提にした思考様式と切り離すことができないかもしれないのである。狭い意味での基礎論的な科学哲学のアプローチにも自制的な活用が求められるのはそのためである。

まとめていえば、こういうことだ。「情報」は、構想力の大きさのなかに位置づけるにはあまりにも新しい実在感をもったなにかとして、わたしたちの生活世界で作動している。また、狭い意味での自然科学的な世界観を凌駕するほどの強度があるゆえに狭い意味での科学理解もどこまで頼りになるかわからない。だから、両者を両極とするスペクトルを往還しながら「情報という問い」という建てつけで接近したいということなのだ。両極のあいだのミドルレンジのあたりで、探究の姿勢を探りながら少しでも手触りのある考察をすすめたい――それが本書の戦略である。

もう少しだけ述べておこう。

近年の科学哲学では、自然科学という探究のあり方を無根拠に前提するのではなく、そもそもどういう経過で「科学」という営み、あるいは「科学」と呼ばれる現象が歴史的に登場したのか、という水準まで立ち返って考えるアプローチが登場してきている（戸田山 二〇〇五）。それと同じように、どういった仕方で情報なるものが人類に立ち現れたのか、という問いの構えも必要かもしれない。じつは、本書が「情報という問い」に込めているのは、そうした企みでもある。二一世紀のいま現在、「情報」という言葉がかたちづくる光景の無定形ぶりと無軌道ぶりは、「情報」なる言葉を何か特定の規定を基軸にして考察することを許さない。だが、翻っていえば、「情報」と呼ばれる現象は人類史にとってどのように立ち現れているのかを見定める好機でもあるかもしれないのだ。もっといえば、それこそを見究める必要があり、そうすることで「情報」の世界に介入する一助となる攻めの知になりうるのではないかとさえ想いは膨らむ。

以上の構えと戦略をもって本書はすすむことになる。

本書の構成

論述は、次のような組み立てになる。

第Ⅰ部は、いわばマクロ的な視点から、とり組む。「情報という問い」がまさしく圧倒的な広がりをみせていることの証左であるかのように、政治学、経済学、そして現代思想において真正面から応接されていることを、代表的な論者をとりあげながら確認したい。さらに、それらの論者を向き合わせることで析出される争点を浮かび上がらせることを試みたいと思う。

第Ⅱ部では、むしろミクロ的な視点から、情報とはいったい何なのかを、こんにちのコンピュータ理論の最前線を踏まえて濃密に考察する突出したふたりの論者をとりあげたい。それらの論者を向き合わせ、哲学的としかいいようのない問いにどう接近しているかをつぶさにみていきたいのだ。もう少しいっておけば、かつてなら「フレーム問題」や「記号接地問題」と呼ばれていた問題群に対して、二一世紀のいま、いかなる理論的接近がなされているのかをみていくことになるだろう。そこには、「環世界」や「アフォーダンス」や「パース哲学」などの見直しも含まれる。それらを論じる場合も、前世紀後半に跋扈したいわゆる構造主義的な記号論理解から遠く離れてなされている光景を目撃することになるだろう。記号と情報がどこまで重なり、どこからすれ違うのか、という問いの再考を促しさえするかもしれない。これらの濃密な思考——おそらくは、情報処理研究という開発の現場の（少なくとも現段階では）外側でなされなければならない——の一端をあぶり出すことで、安易な結論じみたレトリックを最終解答であるかのように扱う愚にはまり込まないように予防線をはっておくということでもある。いいかえれば、マクロな構想力の広がりの風景にのみこまれてしまわないように思考のブレーキを磨いておきたいという企みをもっている。

第Ⅲ部では、マクロ的視点とミクロ的視点のあいだの、いわばミドルレンジの視点から、二一世紀における「情報という問い」に理論＝実践的にアプローチしてみたい。第Ⅲ部は、代表的な論者の見通しのよい整理を目論む第Ⅰ部と第Ⅱ部とはやや異なる形式をとる。わたしたち人間が日々自らが思考する際に駆動させざるをえない「世界」、「社会」、「人間」といった諸概念に対して、二一世紀の情報がいかなる揺さぶりをかけ、いかなる作用を及ぼしているのかを多角的に検討していくという格好の文章となる。いいかえれば、第Ⅰ部と第Ⅱ部で析出した多彩な理論的概念をツールとして、さまざまな分野の先鋭的な論考にも言及しながら、「世界」、「社会」、「人間」といった概念がどう更新されつつあるのかについてスケッチを試みたいということだ。

細工は流々とまではいかないものの、以上の設計が本書の建てつけである。仕上げを御覧じろと啖呵を切りたいところだが、評価は諸賢にお任せするしかない。

第Ⅰ部　情報がもたらす未来

情報哲学と銘打った本書の導入部として、第Ⅰ部では、「情報」という語が、その作動範囲をどの程度まで深め、そして拡げてきているのかについて、二一世紀も二〇年以上過ぎた現時点で観測することを目指したい。

具体的には、こうだ。今世紀に入った頃から知的世界において多彩な先鋭的知性が情報技術について語っているわけだが、いくつかの論をたどりながら、序章で述べた「情報という問い」がいま、いかなる論点の布置の中で推移しているのかについて見取り図を作成しておきたいのである。

ここでは、三つの知的領域に照準を合わせて作業をすすめたい。(1)技術の未来に関わる領域、(2)経済の未来に関わる領域、(3)政治の未来に関わる領域、である。「情報」なるものは、これらの領域において以前にもまして熱く語られ、ひとつの沸騰する知的アリーナを出現させている。それは、書店やインターネットを少しのぞけばすぐさま目に飛び込んでくる。そのなかでも、グローバルな知的読者層において衆目を集め、活発に引用され、喧しく論議もされている知の担い手たちの考え方をみていきたい。

情報がもたらす未来を語る彼女ら彼らの論は、序章で触れた言い回しを用いれば構想論主義的なものだといっていいだろう。とはいえ、なにほどかのことを提示している体裁を謳いながら、むやみやたらに抽象的であるために言わんとすることが定かでないタイプの語りではなく、エッジの利いた、つまりは争点を際立たせる組み立てで論じる情報未来論を選んでとりあげたいと思う。じっさい、輪郭のはっきりした関心をもつ読者層を大規模に惹きつけている論者ばかりだ。

第Ⅰ部は、そうした具合に広範囲な知的関心が反映されていることも踏まえて、知的アリーナの現在を見通しよく活写するために、一種の見取り図を作成したいという企図も併せもつ。その見取り図はまずもって、二一世紀の現在、日々の生活を営むわたしたちに多少なりとも役に立つ航海図になるだろうという狙いがある。

同時にそれは、いま現在思考が向き合うべき論点や争点を浮かび上がらせもするだろう。彼女ら彼らの考えは、ときに相容れず、ときにすれ違い、ときに真正面から対立していたりさえする。わたしたちが目撃することになるのは、それぞれの領域を越えてうねり、衝突もする、濃密な思考の群れであり、それらがさまざまに交差する光景である。いいかえれば、第Ⅰ部が浮かび上がらせるのは、「情報という問い」に取り組む、時代をリードする知性の競合である。なんらかの通りのいい解決案ではなく、種々の論点や争点が飛び交っているさまだ。それら論点や争点を見定めておくことは、第Ⅱ部の原理論的な考察、第Ⅲ部の「情報という問い」の具体的な取り扱いへの橋渡しとなる羅針盤にもなるだろう。

あらかじめ見通しをよくしておくために、第Ⅰ部のガイドとなるダイアグラムを次に掲げておこう。情報技術が招来する未来について〈明るい展望〉をもつか〈ダークな展望〉をもつかを横軸に、そうした未来は〈個体としての人間〉の水準で見通されているかそれとも〈集団としての人間〉の水準で見通されているかを縦軸にして、第Ⅰ部で扱う論者の布置を示している。

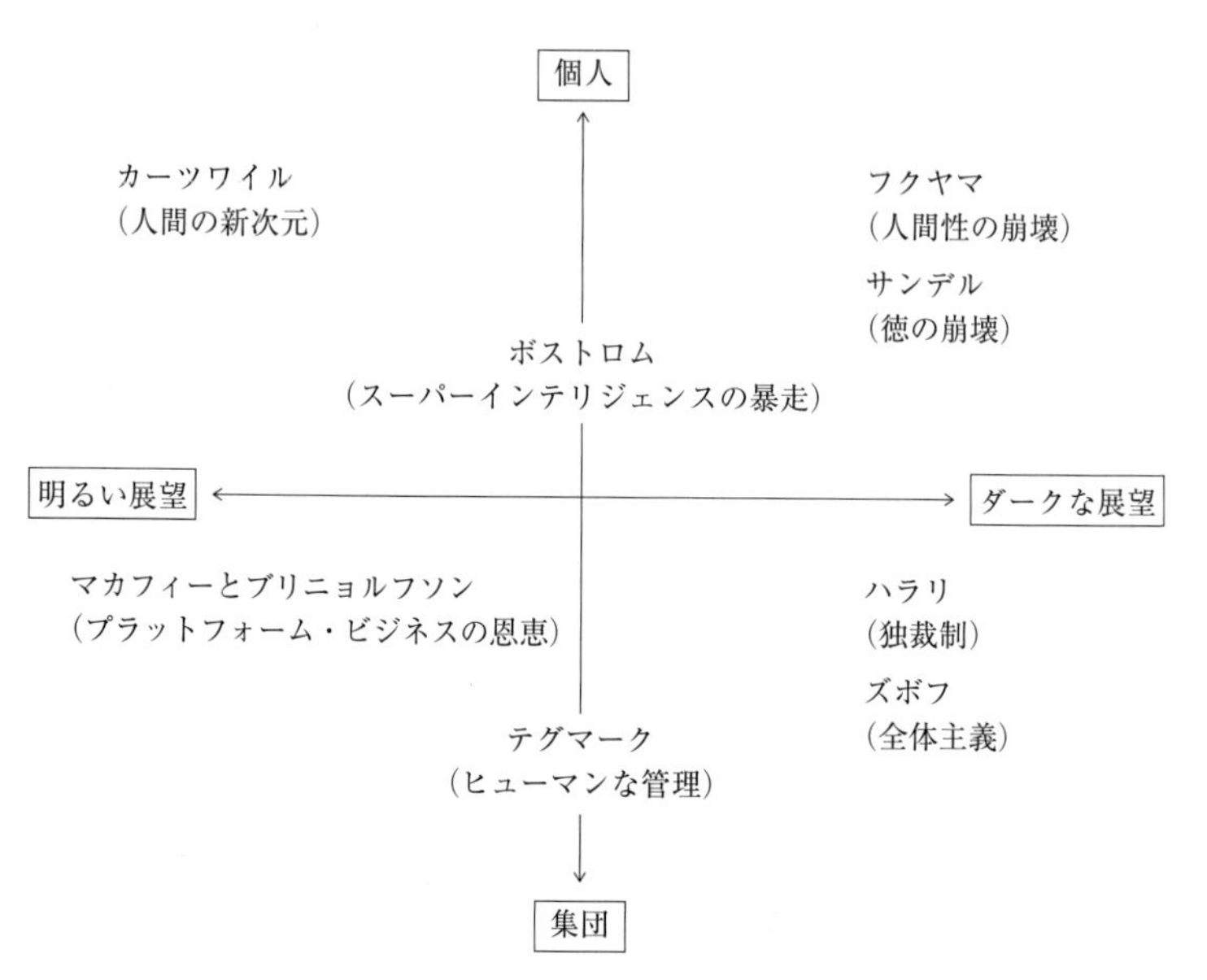
個人
カーツワイル
(人間の新次元)
フクヤマ
(人間性の崩壊)
サンデル
(徳の崩壊)
ボストロム
(スーパーインテリジェンスの暴走)
明るい展望
ダークな展望
マカフィーとブリニョルフソン
(プラットフォーム・ビジネスの恩恵)
ハラリ
(独裁制)
ズボフ
(全体主義)
テグマーク
(ヒューマンな管理)
集団

ダイアグラム1

第1章　情報と技術の未来

一　カーツワイルのポスト・ヒューマン論

最初に、「はじめに」でも触れた、情報が切り拓く展望に大きなインパクトを与えた仕事、すなわちレイ・カーツワイル（一九四八年生）のシンギュラリティ論を、その言葉を中心に据えた彼の著作『シンギュラリティは近い』（二〇〇五年）を参照しながら、少し踏み込んでみておくこととしよう。

すでに触れたように、カーツワイルは、「シンギュラリティ」概念を掲げ、人工知能が人間の知能を上回るという人類史上の歴史的「特異点」という論点を提示し、大きな話題となった。だが、下手をすると読む者がそこから連想してしまいかねないのだが、人工知能が人間をやたらに脅かし猛威をふるう世界が到来する、といったSFチックなディストピアをカーツワイルが語ったとするのは、ミスリードである。たしかに彼は、「ひとたび非生物的知能が優位に立ってしまうと、人間の経験の本質はいかなるものになるのだろう」と書いてもいるし、「想像しうるあらゆる製品、あらゆる状況、あらゆる環境を「強いＡＩ」とナノテクノロジーによって随意に作れるようになると、それは「人間と機械の文明」にとっていかなる意味をもつのだろう」という修辞的な問いを投げかけてもいる（カ

ーツワイル 二〇一六、一六二頁）。だが、カーツワイルの見通しの真ん中にあるのは、どちらかというとポジティブな未来予想である。

最初の邦訳タイトルには「ポスト・ヒューマン」という語が掲げられてもいた（カーツワイル 二〇〇七）。情報技術の発展がいまの人間の形態を根本的に変容させていくのだという期待こそがこの著書の眼目であるわけで、それこそを「ポスト・ヒューマン」という語でいいあてようとしているのだ。人間がポスト・ヒューマンの段階に入っていくことに、カーツワイルは心躍らせているのである。

カーツワイル

カーツワイルがそのような人間形態の変容に関わってその中核部と捉えているのは、彼が言うところの「脳のリバースエンジニアリング」という研究パラダイムである。それは、(1)人間の脳の情報処理をモデル化して、それを機械（「非生物的な知能」）によってシミュレートし、(2)人間の脳や身体の至らないところを補っていく、そうした工学的な仕様で脳機能のバージョンアップを図る研究計画のことである。

その作業はもうはじまっている、と彼はいう（カーツワイル 二〇一六、一六四頁）。「われわれの体と心のシステムは、すでにバイオテクノロジーと新しい遺伝子工学の活用によって急激な改良が進んでいる」し、さらには消化器官、血液成分のシミュレートも一定程度すすんでいて、極小の血液工学的代替物「ナノボット」が心臓という一点集中のマシンの必要性を縮小させていくかもしれないとつづけて述べている。人間は「バージョン2.0」の人体を迎えつつあると見定め、ちょっと煽った言い方つまり「われわれはサイボーグ」というフレーズまで用いているのである。

それにとどまらない。先のリバースエンジニアリング計画は、非生物的知能による人間の生物的特徴をカバーアップするにすぎない（そしてまさに実現しつつあるともいえる）「バージョン2.0」の段階も越えつつある、と論じるのだ。「バージョン3.0」の人体へと変容していくことになると主張するのである。

人体は――二〇三〇年代から二〇四〇年代には――さらに根本的なところから再設計されてバージョン3.0になっているとわたしは想像する。個々の下位組織（サブシステム）を作り直すというよりも、われわれ（思考と活動にまたがる生物的および非生物的部分）はバージョン2.0での経験をもとにして人体そのものを刷新する機会を得るだろう。（同書、一七八頁）

カーツワイルによれば、脳がＶＲの空間の中に設置され、「他の誰かになる」ことも可能だろうし、「完全に非生物的なネットワーク」と混成され、心の範囲が広がっていくことにもなろうという。「生物的限界」は克服され、「寿命という限界」も越えられていくことになろう、と。人間が人間を超えていく、人間がその存在形態をバージョンアップしていく、まさしく「ポスト・ヒューマン」となっていくのだ、そうカーツワイルは自身の未来予測を示していくのである。

このようなカーツワイルによる未来予測は、知能に対する彼なりの理解図式にもとづいていること、それは押さえておかなくてはならない。そしてそれは、おもしろいことだが、意外にシンプルな線形的な発展史観となっている。

カーツワイルによれば、集積回路の次なる進化が、人工知能が人間知能を凌駕する主たるエンジンとなっている。シンギュラリティ論にとって、機械的な計算処理能力の高度化こそが重要なのである。そして、その進化は「指数関数的な成長」を遂げてきたという——さまざまなグラフとともに数多くの箇所で繰り返されるもので、彼があちこちで好んで使う言い回しだ。人口に膾炙し、あちこちで真似られた口ぶりでもある。具体的には、電気機械式計算機、リレー式計算機、真空管、単体のトランジスタ、そして集積回路に、といった進化である(同書、六二—六三頁)。

切り詰めていえば、ここでカーツワイルが用いている計算処理能力とは、情報処理速度とメモリ量のふたつである。「人間の知能レベルに到達するために必要なコンピューティングとメモリの量を分析し、二〇年以内に廉価なコンピュータで、その水準に到達できると自信をもって言える」のである(同書、八四頁)。加えて、「脳を機能的にシミュレート」することができれば、パターン認識も、知能(インテリジェンス)とは区別されることが少なくない高度な知的機能である知性(インテレクト)も、記号計算処理あるいは認知処理とは異なる次元にある感情も、すべて情報処理のフレームワークに着地させることができるだろう、という見通しも彼は立てている。つまりは、シンギュラリティ論の組み立てにおいて、核となるエンジンは、処理速度と情報ストレージ量にかかわってくることになるのだ。それが「指数関数的な成長」で進化していくのであれば、早晩、人間の知能を超える特異点を迎えることになるのはまちがいない――そのように論が組み立てられているのである。「シンギュラリティ」という発想は、こうした具合に、集積回路の高度化が、まずは「人体2.0」を、次には「人体3.0」をもたらすだろうという基本図式において、少なからず多幸的な気分をまとわりつかせながら案出されたものなのだ。チェックしておくべきは、そうした多幸的な肯定感は、個人の心身がバージョンアップすることになるという論点を軸にして述べられている、という点だ。わたしたちが先のダイアグラム１で第二象限に彼を置いたのはそのためである。

いささか単純すぎた要約だったかもしれないが、カーツワイルの論の骨格はこういったものだととりあえずはいえる。豊富なデータや見聞がちりばめられ、ときおり啖呵を切る物言いが放つ迫力は、広い読者層への訴求力をもつものであったことも事実だが、辛口でいえば、ＳＦチックとまではいかないものの、発明家ならではの構想の規模感と派手さで勝負している論だと映らなくもない。本書の企ては、ポピュラリティで各論者の考え方を評価するものではないので、彼を先のダイアグラム１で示した大きな見取り図のなかに位置づけておくことでさしあたり満足しておきたい。

カーツワイルの立ち位置をより明瞭に測定しておくためにも、同じく「特異点論者」と称されもする、二人の論者の考えを次にみていこう。

二　ニック・ボストロムのスーパーインテリジェンス論

まずは、ハードな意味での哲学研究者による論をとりあげよう。

計算機能還元主義と映らなくもないカーツワイルの論に比べると、研究開発の現場をより細やかなまなざしで観測して論を組み立てているのが、オックスフォード大学で哲学の教鞭をとり、同大学に設けられた「人間性の未来研究所（Future of Humanity Institute）」の所長をも務めるニック・ボストロム（一九七三年生）である。ボストロムは二〇一四年の著作『スーパーインテリジェンス』で、カーツワイルとは逆に、情報技術の進化が人間にとって必ずしもあかるくない未来をもたらしうると強く主張するのである。

この著作は、専門的な文章も多い大部の書物であるが、にもかかわらず、多くの国で翻訳され、ベストセラーになっている。ＩＴ業界でも反響は大きく、マイクロソフトの創業者であるビル・ゲイツ、テスラ社のイーロン・マスクなどが、いま読むべき書物として賞賛したことも話題に拍車をかけた。どういう書物だろうか。

『スーパーインテリジェンス』の要諦は、大枠でいうなら、その原著のサブタイトル「道筋（Paths）、難事（Dangers）、戦略（Strategies）」に示されている。すなわち、(1)研究開発の多様な道筋の把握、(2)それらにおいて予測されうる難事の把握、(3)その難事への対応としての戦略、という三つの切り口からボストロムの論は組み立てられているわけだ。メインタイトルの方に引き寄せられすぎると、ほぼほぼカーツワイルと同じ内容ではないかと安易に邪推してしまいかねないのだが——カーツワイルと同じく「特異点論者」とされることがあるのも手伝っている——、ていねいに読むと、カーツワイルとはあきらかに異なる主張が展開されている。三つの切り口を順に手掛かりにしてみておこう。

まず、「道筋（Paths）」についてである。ボストロムはいう。「人工知能は現在のところ、その汎用知能のレベルにおいて人間には遠く及ばない」ものの、「スーパーインテリジェンスが実現される日は必ずやってくる」。だが、彼にとってしっかりと押さえておくべきなのは、実現される日はいかなる行程において、つまりは「道筋」において達成されていくのか、という問いである。「現在考えうる技術的観点から」、つまりは地に足をつけて考察していくのが自らのアプローチであるというのだ。具体的にいえば、「人工知能」、「全頭脳模倣型知能＝全脳（ホール・ブレイン）エミュレーション」、「生物学的認知」、「ヒューマン・マシン・インタフェース」、さらには「人工知能ネットワーク」、そして「巨大知」といった、いま注目を集める研究テーマの群も、一括したフレームで論じるのではなく、進行中の開発状況の現場をしっかりと検証しながらみておく必要があるという（ボストロム 二〇一七、五九頁）。計算機能の高度化の次元にすべてを還元するカーツワイルのような立論はそこにはない。

ボストロム

たとえば、全脳エミュレーション——カーツワイルの

「脳のリバースエンジニアリング」と似たものといえる——ひとつとってみても、そこにはスキャニング技術、画像翻訳技術、シミュレーション技術の高度化が求められるだろう。さらにいえば、そのスキャニング技術ひとつとっても、(1)適切に脳を処理する試料の開発、(2)脳へのスキャナ挿入技術と装置内での操作技術といった物理的な開発、(3)合理的な時間幅でスキャンできる容積量の技術、(4)取得イメージを精査できる解像度高度化の技術、さらには、(5)組織資料の機能特性の検出を可能にする情報技術など、それぞれにおいて十分な精度向上が図られなければならない。さらに細かくいえば、画像翻訳にかかわっては、画像から情報を抽出する技術（画像の補正技術、欠落部分の補完技術、ノイズ除去技術、整合的な立体モデルの合成技術）、それを解析する技術（細胞種別の同定技術、シナプス同定技術、機能的パラメータ推定技術、データベース化技術）、モデル化技術（数理モデル化技術、それを実装する技術）があるし、あるいはまた、シミュレーション技術にかかわっても、記憶と保存にかかわる技術、各プロセッサ間をつなげる帯域の確保技術、高速のデータ処理技術、人体シミュレーション装置の技術、そうした人体シミュレーションをさらにシミュレートする仮想環境の技術などがあり、そのいちいちにおいて、かなり高度な発展がなされなければならない。

率直な言い方をすれば、カーツワイルがいう「脳のリバースエンジニアリング」に近い「全脳エミュレーション」の研究プログラムにおいて計算処理量と処理速度がかかわるのは、ボストロムの見立てでは最後の、しかも一部分にすぎないということになろう。重ねていえば、人工知能にかかわる技術開発に求められる総合的な研究プログラムのなかで、全脳エミュレーションが占める役割は一部にすぎないともいえる。さらには、種々の知能の作用をシミュレートするのに必要となる神経科学や分子生物学などにおいて関連する調査研究プロジェクトがいま現在どのような段階にあり、いかなる具合にすすんでいくのかについても大きく考慮する必要があるからだ。スーパーインテリジェンスの開発には、驚くほど多様な道筋（Paths：原著では複数形）が関係しているのである。

ボストロムはすぐれた科学哲学者であり、人工知能開発をめぐる現状について関連研究プログラムを理解し、また基礎論的に精査する能力がある。人工知能、こういってよければ知能機械を構成する種々のパーツの高度化にかかわる研究開発プログラムを腑分けし、各々のプロジェクトの高度化が逐次どのような段階にあるのかを確認し、どれが有望でどれが有望でないかの吟味をおこない、関係する他の調査研究との兼ね合いも見極め、それぞれがいかなるスピードで発展し統合されていくかについて、説得力のある議論がボストロムにはできるのである。

その上で、人間の知能を機械群が越えていく時点についてボストロムも予測を企てているが、カーツワイルの見立てとは大いに異なり、一〇〇年くらい要することは大いにありうる、と述べている。両者が予測する期間については、それぞれにずいぶん開きがあることは否めない。

とはいえ、だ。著作のポイントは予測の確度を競うものではないようであるし、ボストロム自身、予測が早まることもあれば遅くなることもあるだろう、と断り書きをつけている。そうであるので、どこかの時点で機械の知能が人間の知能を凌駕していくだろうと予測している点はボストロムも同じだということである。特異点論者とラベル付けされることにも理由がないわけではない。

だが、ここでより大事なのは、いかなる方向性をもって人工知能が人間知能を凌駕していくかについて、ボストロムとカーツワイルが異なる見解を示しているところだ。ボストロムは、バラ色の未来ではなく、ダークな未来を予見している。サブタイトルに「難事」という語を織り込んでいる理由はここにある。人工知能を高度化する開発研究プログラムに密接に関連する、夥しい数の個別の研究プロジェクトを網羅的に視野に収める力量をもつボストロムの論が、ジャーナリスティックな現場報告にとどまらない迫力をもつ所以でもある。

　これは重要な点なので、丁寧に追ってみておこう。

　まず、夥しい数の個別の研究プロジェクトが走っているがゆえに、知能機械の発展は統一的スキームですすんでいくものではまったくない、という見立てがなされている。そうではなく、多方向に分岐しながら種別が異なる知能機械の高度化プロジェクトが取り組まれるし、それが続くだろう。次に、そうした多種多様な知能機械は、実社会の実利益や縄張りをめぐって互いに競い合いはじめるだろう。俗に広まった言い方をすれば、実装をめぐる競合が起きるのだ。異なる知能機械は、対立し、相手をのみ込んだり排除したりもするだろう。そうした競合が生み出してしまうのは、これが第三のフェーズということになるのだが、なんらかの特定の知能機械が他を圧倒し、覇権的なポジションを掌握するという事態だろう。そうボストロムは予測する。彼が「シングルトン」という独特な語で言いあてようとしているのは、まさにそうした事態である。

　人間知能をその外部で圧倒的な計算量と速度によって諸機械が競合して凌駕する状態、それがスーパーインテリジェンス、人間知能を凌駕する知能機械の現実的な登場の仕方なのではないかとボストロムはいう。問題なのは、概括的な仕方で描き出される帰結ではない、と彼はいう。

　人工知能がスーパーインテリジェンスに至るまでのプロセスには、二つのフェーズがあるだろうとボストロムはいう。「第一のフェーズは、人工知能システムの能力が人間と同等のレベルに達」するときである。だが、それだけでは決定的な飛躍とはならない。このフェーズでは、システムを最適化するさまざまなリソースの多くは、「依然としてシステムの外部から投入される状態が続く」からである。「開発プロジェクトに専属の研究者や技術者といった人々によって提供されたり、世界のどこかの研究成果が提供されたり、利用されたり」という按配で、「外部から投入される」のだ（同書、一六〇頁）。このフェーズから次のフェーズへのジャンプこそが肝要なのだ。そうしたジャンプが起きるのは、「システムが自身の性能を自律的に向上させることができるようになる」ときだろう。「第二のフェーズは、能力向上のためのパワーの大部分をシステムが自律的に提供できるようになった時点を出発点とする」のである（同書、一六一頁）。

目的設定の観点から、こう論じられもする。スーパーインテリジェンスは、自らに設定された価値を目的とした作動を次々と拡張していくことになる――ボストロムはそれを「道具的収斂仮説」と呼び、他のシナリオと比べて可能性が高いと予測している（同書、二三二頁）。知能機械が「信頼できるアドバイスを専門家から入手できる場合」であれば、「知識や知性を自前で所有する必要性はあまりない」。けれども、必要な知識や知能を現実的に獲得する際に発生するコストの問題が、半ば独立して作用する場合がある。「それらの入手に時間や努力を要したり、ストレージ・コストや計算コストが増大するような場合は、より多くの知識や知能を入手しない選択肢をエージェントが選ぶ可能性もある」だろう。「最終到達目標」が「ゼロ知識」である場合や、「戦略的コミットメント」あるいは「社会的選好」がプログラムに組み入れられた場合なども、同様の事態が起きる。いずれにせよ、内容ではなくコスト計算の水準で作動をつづけていく状況になるのだ（同書、二三七―二三八頁）。

スーパーインテリジェンスのシングルトンは、すなわち、競合エージェントや対抗エージェントが世界のどこにも存在せず、したがって、グローバルな政策を片務的に決定できる立場にある超絶知能エージェントは、自身の選好どおりに世界を形成したいと欲した場合、その能力の増大を可能にする技術の完成に道具的理由を見いだす可能性がある。（同書、二三九―二四〇頁）

この状況下での機械による意識決定は、人間の意思決定になんらかの影響を及ぼさずにはいない、そうボストロムは警告を発する。ましてや、その情報リソースの範囲と計算処理速度が圧倒的であるときには、そうである。ボストロムの好きな喩えはこうだ。ペーパークリップの生産を第一義的な目標にするエージェントがシングルトンになった場合、世界はまるごとペーパークリップになっていくかもしれない。そういう思考実験は笑い話ではすまされない、という。

〔自分の議論は〕最初に超絶知能になりえるエージェントが、地球起源の生命体の未来を左右し、人間の最終目標とは異なる目標設定を行い、そして、資源の確保を無制限に続けるための道具的理由を持ちうることを示唆している。そして、よくよく考えてみれば、われわれ人間は利用価値の高い（使用に便利な原子の集まりという）物理的なリソースである。生存しつづけ、繁栄しつづけるためには、入手可能なリソースを消費しつづけなければならない。これらの事実は、スーパーインテリジェンスが形成する未来が、われわれ人類があっという間に絶滅種になる世界に容易になりえることを想像させる。（同書、二四七頁）

ボストロムがいう「難事」の極点とは、こうした類いのものにほかならない。サブタイトルに掲げられているもうひとつの語「戦略（Strategies）」は、こうした「難事」に対してボストロムが提示する処方箋のいくつかのバージョンになるだろう。詳述は省くが、簡単にいえば、シングルトンが暴走する前段階で、人類は自身の知を駆動させてなんらかの手立てを打つ必要がある、ということに尽きる。

ボストロムにあっては、シンギュラリティ論は明るい未来を約束するものではない。集団としての人間社会の未来について予測すれば、むしろきわめてダークな未来となりうるのだ。明るい未来とダークな未来の分岐点に、いま、わたしたちは立たされているといってもいいかもしれない。ダイアグラム１で、第一象限と第二象限をまたぐ位置に彼を記したのは、彼の論をこのように読みとれるからである。

三　マックス・テグマークの生命システム論

「特異点論者」に近い、もうひとりの論客に移ろう。マサチューセッツ工科大学教授マックス・テグマーク（一九六七年生）である。

テグマークは、理論物理学、しかも宇宙理論の分野で先端的な研究を展開してきた研究者である。そうしたバックグラウンドを活かした独自の情報理論研究にいまは精力的に携わっている。彼の仕事もまた、ビル・ゲイツからイーロン・マスクまで、アカデミズムの外でも大きな関心を集めている。多方面から多くの支援を受け、「生命の未来研究所（Future of Life Institute）」を設立するにいたった。自らの論を凝縮させて世に問うた人工知能論『Life 3.0』（二〇一七年）は、世界中で注目を集めた。この仕事が次にみておきたいものだ。シンギュラリティ論に近い論陣を張りつつ、カーツワイルやボストロムとも異なる、独自の、いわば別仕立ての人工知能理解を示しているからである。三者を互いに相照らす観点から読み込むとき、わたしたちはそれぞれをより明瞭な輪郭をもって受けとめることができるだろう。

『Life 3.0』には、物理学者ならではかもしれないパースペクティブがある。邦訳でも「LIFE」となっているが、端的には「生命」ないし「生命体」を意味しており、その形態の変遷を原子の次元から捉え直すという発想が根底にある。概括すれば、こうなるだろう。

物理的な面からみれば、地球史のある時点で「原子の一群が複雑なパターンに配列し、自らを維持して複製できるようになった」。さらには、世代が変わるごとに己のコピーを次々と二倍ずつ増やしていくようになって、今日わたしたちがいうところの「生命が誕生した」のだろう——テグマークは冒頭の章で、そう言い切る。その上で、生命とは何かをめぐって「激しい論争」が繰り広げられてきたが、自分はその定義を簡潔に「自身の複雑さを維持して複製できるプロセス」としたい、そうすることで人工知能についての独自の理論化を構築できるようになるという見通しをもっている、と切り出すのである（テグマーク 二〇二〇、四三頁）。

情報論的に先の定義は、次のようにいいかえられるだろう。すなわち、「生命は、情報（ソフトウェア）によってその振る舞いとハードウェアの設計図が決定される、自己複製する情報処理システムととらえることができる」（同頁）と。いわば、生命に関する情報処理論的理解を示すわけだ。その着想のもと、生命体の進化を情報処理論的位置づけという面から三段階に区分けする発展史を説くのである。

テグマーク

第一段階の生命体は、たとえば周囲の液体中の糖濃度を測定できる感覚器、そして鞭毛といわれる運動器といったハードウェアを備えている。そして、糖濃度に関して感覚器が低い値を察知し、伝達がとりおこなわれたときには、鞭毛を回転させるだろう。つまりは、異なる方向へと移動するというソフトウエア、すなわちアルゴリズムを実装しているかのように振る舞うのである。だが、そんな生命体は、ハードウェアもソフトウェアも自然進化に任せたままの状態だといえる。

これと対照的なのが、わたしたち人間である。身体というハードウェアは進化に委ねたままだが、感覚器が得た情報に対する処理システム、すなわちソフトウェアについては、自分たちで独自にデザインする段階に入っているだろう。記号ないし言語による解釈や捉え直しなどをおこない、生存に役立てることになっているからである。これが第二段階だ。

そう考えていくと、次なる段階では、ハードウェアもソフトウェアもともに自らデザインする生命体が出現してもおかしくない。人工知能研究とは、その地平を開いていく壮大なパースペクティブのもとにこそ位置づけられるべき企てだろう、そうテグマークは論を方向づけていく（同書、四五―四九頁）。

テグマーク自身の言葉はこうだ。

生命が自らをデザインする能力に応じて、生命の進化は以下の3つの段階に分けることができる（同書、四九頁）。

ライフ1・0（生物学的段階）――ハードウェアとソフトウェアが進化する。

ライフ2・0（文化的段階）――ハードウェアは進化するが、ソフトウェアの大部分はデザインされる。

ライフ3・0（技術的段階）――ハードウェアとソフトウェアがデザインされる。

そして、一三八億年の宇宙史を見据えた上で、こうつづけるだろう。

ライフ１・０は約40億年前に、ライフ２・０（我々人間）は約10万年前に登場し、多くのＡＩ研究者が考えるところでは、ライフ３・０は次の世紀、もしかしたら我々が生きているあいだにも、ＡＩの進歩によって誕生するかもしれない。（同書、五〇頁）

その次第を描き出すのが「本書のテーマ」であるという。なかなかの構想力の大きさだ。とはいえ、じつはテグマークの論立ての面白みは、こうした大きな展望が具体的には下位区分においてどのような組み立てになっているかというところにこそある。それをみてとるためには、カーツワイル、そしてボストロムと比べておくのが有効だろう。

まず、カーツワイルと比較しておこう。ライフ２・０からライフ３・０への移行は、一見すると、カーツワイルの論立てと近しいもののようにみえる。なるほど、そこには人工知能が人間を越えていくというシナリオがみてとれる。そうした予測にテグマークは一定程度の理解を示している。けれども、テグマークは、それが近々数十年の間に起きるかどうかについては「分からない」という。人間の知能作業はこんにちすでに次第に機械に代替されつつある、しかもかなりのスピードでどんどん拡大してもいる。しかしながら、指数関数的な高度化を遂げているという言い方をする場合、それに賛同する者もいれば、しない者もいるのが現状だ、と留保をつけるのだ（同書、六四頁）。さまざまなひとびとがさまざまなタイムラインを展望している、そこまでしかいえない、と。

だが、テグマークはここで現実主義的な実情観測を後ろ向きに指し示しているのではない。むしろ、だからこその独特な論法を繰り出すのである。まず、人工知能のもたらす未来についてさまざまに展望する人々を三つのグループに腑分けする。第一のグループは、人工知能が人間を越え出ていくことに期待するデジタルユートピア論者のグループである。ここにはイーロン・マスクやカーツワイルも入るという。第二に、それとはまったく反対の方向、すなわちダークな未来を懸念する機械化反対論者のグループがいる。そして、その中間、すなわちユートピア論とディストピア論の間に第三のグループがあるが、このボリュームが実情としてはかなり大きいのだという。この点にこそ注目すべきだとテグマークは主張するだろう。この第三グループに分類される種々の人工知能研究者こそが、いま現在の主たる人工知能研究に従事している人々の大半であり、彼女ら彼らは人工知能をこれからいかなるものにしていくのか、いいかえれば、人類にとっていかに有益なものにしていくことができるのか、という課題に大きな関心をもっているという。

この第三グループの研究者たちが、人工知能をどのようなものにしうるか、どのようなものとして実現していくべきなのかを検討していくなかでこそ、未来のかたちは決まっていくだろう、とテグマークは論点を立てるわけだ（同書、五一―六〇頁）。だとすれば、いまからでも、人工知能が人類にもたらす有益性を真摯に考え、人工知能の未来を検討する作業がすすめられていくべきではないか、テグマークの提案はそう方向づけられていく。「我々の選択が生命の未来全体に影響をおよぼしかねない」（同書、五八―五九頁）からだ。生命の未来研究所は、そうした狙いをもって設立されているようなのである。

以上のような判断のもと、どちらかというとカーツワイルよりはボストロムに近く、人工知能の行く末について、楽観的であるよりは、それがもたらす潜在的な脅威にこそ注意すべきだ、という論陣をテグマークは張っていると解せるだろう。人工知能が人間にもたらすかもしれない種々の脅威に対して、人類は「堅牢」であるような手立てを講じていかなくてはならない、その舵取りをいまからでもはじめるべきだ、という立場なのだ。テグマークも、ボストロムと同じく「知能爆発」という用語を用いており、ボストロムの『スーパーインテリジェンス』は研究所の活動に世間の注目を引き寄せたと評価している。

一方で、具体的に、いかなる脅威がいかなる仕方で出来しうるのかについては、テグマークの見立てではボストロムのそれと微妙に分岐しているようにみえる。たとえば、「知能爆発」の立ち現れ方については、いささか異なる角度からつかみ取ろうとしている。知能爆発が起きる場面を、ボストロムは機械の側から照らし出そうとするが、テグマークは人間の側から、あるいはライフ２・０からライフ３・０への移行という角度から、おこなうのだ。ボストロムは、人工知能が関わる専門分野の研究現場の目線から、単一の知能マシンが他の大多数の知能マシンをのみこんでシングルトンを形成するときを「知能爆発」としたが、それは人間の活動が機械知能に支配されていくことになるであろうという見通しから描かれたシナリオだった。

それに対して、テグマークはこうだ。そもそも人間のなす知能というものには「学習」、「記憶」、「計算」そのほかじつに多様な系列があり、それぞれに多様な物質体を巻き込んでいる。畢竟、人間におけるさまざまな知能プロセスは、種々の仕方で、しかも時間差をもって機械知能に凌駕されていくことになろう。テグマークは、さまざまな高低差をもつ山脈や峡谷、平野や窪地からなる立体的な地図を比喩として用いてさえいる。それを「人間の能力のランドスケープ」とビジュアライズし、それぞれの標高に応じて機械知能が代替していくのだという見解を示し、その上で、その推移がどうなるのかは測りがたいと論じる。陸地（人間の世界）を波（機械知能）が覆っていくロードマップにあって、どの時点でどこがどうのみこまれ、人類がどの時点でどのようなクリティカルポイントを迎えるかを分析するのは、きわめて困難だからだ。どこがどう機械に置き換われば人間を決定的に圧倒することになるのかは、一筋縄で予測しうることではないのである（同書、八五頁）。

他方、人間知能を機械知能が代替していくプロセスは、いま現在すでに一定程度すすんでいるという。宇宙探査、金融、工業、交通、エネルギー、医療、法律といった現在の人間活動の各作業において、人工知能への部分的な代替は次から次へとすすんでおり、各々において政策判断上、倫理上、解決困難な課題や困難が生じはじめている。それらに対して堅牢な人工知能を設計していかなくてはならないことは間違いない、という（同書、第四章）。

これこれの段階になればこれこれの課題、こうこうの段階となればこうこうの課題といった具合に、中期的に、そして長期的に異なった課題が立ち上がることになろう、というのがテグマークの見通しである。そのタイムスケールが、地球尺度（一万年先）、宇宙尺度（一〇億年先）と、かなりのスケール感をもって検討されているのは、もともと宇宙物理学者である彼の面目躍如といったところでもある（同書、第五、六章）。

ここまでくると、ＳＦチックとはいわないまでも素人にはなかなか想像力がついていかないスケール感かもしれない。逆にいえば、その過程に潜在する脅威を視野に収めることで、種々のシナリオを今後のタイムラインに慎重に配しながら思考を深めていくことができるかもしれないともいえる。そうすることを通してしか、機械知能を人類にとって有益なものにしていくことはできない、そうテグマークの論はなっている。こうまとめて満足しておくこととしよう。

こんにち情報技術が招来する未来の姿を構想させればピカイチといえる三人の論をみてきた。情報技術が形づくっていく未来に関して、ほとんど手放しで祝福するカーツワイル。他方、その実り多き社会像に関しては希望を託すものの、正統派の科学哲学者の立場から情報技術開発の主要プロジェクトを精査し、合理的かつ穏当なロードマップを示しながら、来るべき難事を警告するボストロム。さらに、物理学者の立ち位置から情報技術が切り拓いていく地平に生命体の新しい未来を予知し、そこに見出される諸課題への防御策を講じるべきだと説くテグマーク。自らがどの論者に一番近いか、思考を巡らしてみるのも面白いブレインストーミングになるだろう。

本章で取り組んできたのは、だが、それぞれの論者は人工知能開発というトピックを軸足にし「シンギュラリアン」と大きく括ることができるものの、三者三様の特徴をあえて浮かび上がらせる、という企てだった。そうすることで、わたしたちが二一世紀中盤に差しかかろうとするいま、視野に収めておくべき論点の析出に向かうステップをすすめたということである。具体的には、明るい未来を展望する者と暗い未来を展望する者。個体としての人間に照準を合わせる者と集団に照準を合わせる者。そもそもが、人工知能を位置づけるのに、情報技術の核として捉える者と、情報技術の多様な具現の集合体と考える者と、技術論をはるかに越える宇宙や生命の尺度から捉える者。それぞれに、論の内実はかなり異なる方向性をもっていた。

これをうけて、第Ⅰ部冒頭で示したダイアグラム1に加え、次のダイアグラム2を示しておくことにしよう。

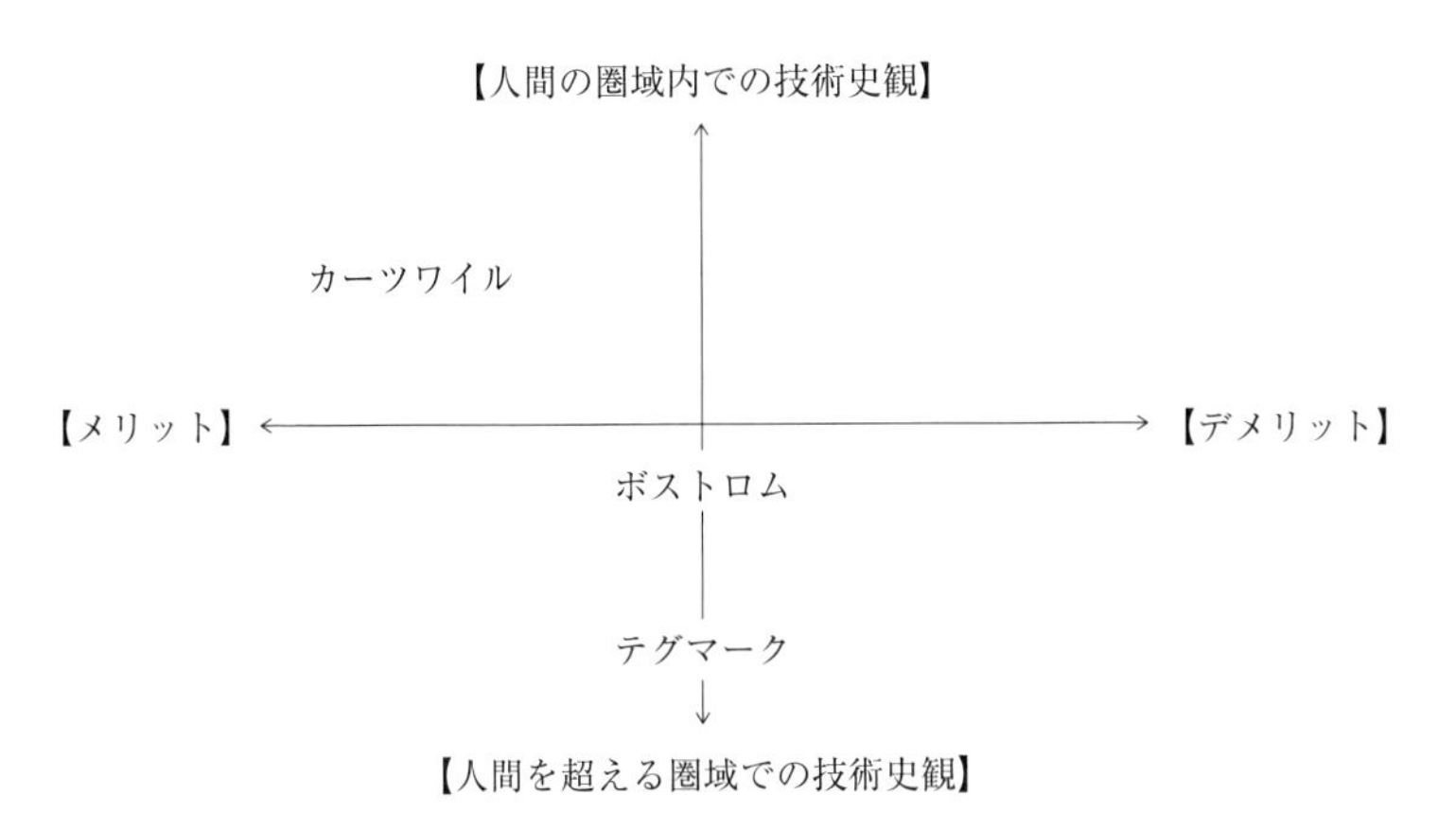
【人間の圏域内での技術史観】
カーツワイル
【メリット】
【デメリット】
ボストロム
テグマーク
【人間を超える圏域での技術史観】

ダイアグラム2

第2章　情報と経済の未来

前章でみたカーツワイル、ボストロム、テグマークでは、情報技術（とりわけ人工知能の）開発という視点から、それが変容させてしまうその未来のかたちに焦点を合わせて、刺激的な展望がそれぞれの立場から語られていた。

他方で、それらの論にあって、こんにちの社会を生きるわたしたちにどのような生活が具体的に待ち受けているのかについては、地に足のついた人間像がなかなか見えないトーンもなくはなかったろう。その点をあげつらうのはないものねだりであり、慎むべきだが、いささか勝手な辛口であることを承知の上でいえば、三者三様にタイムラインがかなり大きくとられていて、未来の人間の姿がサイボーグのような形象で語られる一方で、日々の暮らしに勤（いそ）しむ人間の活動がどうなっていくのかについては、未来の像が結ばれていないといってみたい気持ちにかられるのである。

わたしたちは次に、まさにその点に照準を合わせた論をみていきたい。人間の活動に焦点を合わせたいわけだが、なかでも経済という人間活動の中軸に照準を合わせて、情報なるものがどのような未来を生み出していくのかについて、代表的な論者をみておきたいのである。

一　マカフィーとブリニョルフソンによる第二のマシン・エイジ

最初にとりあげたいのは、アンドリュー・マカフィー（一九六七年生）とエリック・ブリニョルフソン（一九六二年生）による『プラットフォームの経済学』（二〇一七年）である。著者たちはすでに「セカンド・マシン・エイジ」と名づけた二一世紀以降の経済社会の行く末を論じた仕事を刊行していたが（ブリニョルフソン＋マカフィー 二〇一五）、より踏み込んだかたちで経済の未来を描き出さんとして、この著作をものしたようである。

この著作での論の骨格は、これからの経済活動のありようを捉えるための三つのキーワード、すなわち「マシン」、「プラットフォーム」、「クラウド」によって組み立てられている。正確を期せば、三つのキーワードの各々にペアとなる別のキーワードがカップリングされていて、各々の対が、情報技術が招来するこれからの経済の行方を見定めていく三つの尺度になるとしているのである。対となる二つの語は、経済活動のこれまでとこれからを区分けするための指標になるという。

とりあえず概括的にみておこう。「マシン」には「人間の知性」がカップリングされている。後者の「人間の知性」は、会計士やエンジニアの仕事をイメージするとわかりやすい。「プラットフォーム」には「モノやサービス」が対になっている。つまり、自動車や運転手といった物理的な実在、宿泊施設などの物理的なサービスである。「クラウド」――原語は“crowd”で「群れ」に近い――と対になっているのは「経済の屋台骨という意味で」の「コア」（「拠点」と訳しておくことができるかもし

マカフィー

ブリニョルフソン

れない）だ。後者は国ないし企業などが拠点組織をもち、そこに知識、ノウハウや戦術、また技術やスキル――これらは「設計、製造、販売」から「宇宙船の建造と宇宙探査」、「オペレーティングシステムやソフトウェアの開発」までを含む――を蓄積してきた、それを指している言葉だろう（マカフィー＋ブリニョルフソン二〇一八、三九頁）。

その上で、著者たちはいう。「人間の知性も、物理的なモノやサービスも、企業が培った知識や能力も、もう時代遅れだ」と強くいい切れるわけではないものの、「企業は人間とマシン、モノやサービスとプラットフォーム、コアとクラウドのバランスを見直す必要がある」ことは間違いないだろう、と。二一世紀が明けて、「マシン、プラットフォーム、クラウドの能力は飛躍的に拡大した」のだ。そこを見逃してはいけない。「この事実をしっかりと見つめ、新しい視点からペアのバランスを考えなければならない」のだ。それができなければ、経営者やビジネスマンは、これからの経済社会で生き残ることは難しい、とまで強弁するのである（同書、三九―四〇頁）。

マシン・エイジの二つのフェーズ

このように分析用語を携えて、マカフィーとブリニョルフソンは「セカンド・マシン・エイジ」が新しいステージに入ったことを強調する。第一期においては、「定型的な仕事（たとえば給与計算、自動車の溶接作業、顧客宛の請求書作成など）」をデジタル技術が代わりに担うことが進行した（マカフィー＋ブリニョルフソン 二〇一八、四〇頁）。だが、第二期は、その第一期とは大きく異なるものになるだろう、と打ち出したのである。

これまではマシンがとって代わることはできないと判断されていたタイプの仕事――思いっきり平たくいうなら知的な仕事を、これからはマシンが執りおこなうことになる、というのだ。囲碁の勝負でマシンが勝ち、病気の診断をマシンがおこない、商品の問い合わせにマシンが受け答えをする、そんな段階はすでにはじまってもいるだろう、と著者たちはいうわけだ。

学術的に次のような論じ方もしていて、興味深いところだ――日本では前世紀末に一世を風靡したニューアカデミズムでいっとき注目を集めた経済思想家の名が登場するのである。経済人類学者カール・ポランニー（一八八六―一九六四年）だ。彼は人間は知っていること以上のことを知っていると述べ、暗黙知の重要性を説いた。この一見パラドキシカルに映る文言が、しかし、デジタル技術によって乗り越えられつつある、とマカフィーとブリニョルフソンは論じるのである。というのも、だ。

この著作が出版された二〇一七年の時点ですでに、膨大な数の人々が高性能コンピュータ、すなわちスマートフォンなどの端末を絶えず身近に置いて接続しているという状況が出現している。二〇一六年のスマートフォンの販売数は一五億台を越え、世界のおよそ半分の人々が互いに意思疎通するために接続し合うことが可能になっている。それがもたらした効果のひとつは、誰もが「人類が蓄積してきた膨大な知識にもアクセスできる」ようになった状況だろう。いまや、わたしたちは個人としてのわたしが知っているよりもはるかに多くの事柄を、接続することを通して手に入れられるようになっているのである。

まとめていえば、「非定型的な仕事をこなすコンピュータの出現」と「多くの人々が常時オンラインでつながっている現象」が二〇一〇年代に入ってから人類史に出来したということだ。これをもって、セカンド・マシン・エイジ第二期に入ったと判断しうる、とマカフィーとブリニョルフソンはいう。これを前提に、人間とマシン、モノやサービスとプラットフォーム、コアとクラウドのペアは、これまでの対のあり方、対の配分のバランスを刷新させはじめている、と論を組み立てていくのである（同書、四三頁）。

この主張はさらに、行動経済学の知見を用いて補強されている。心理学者でありながら人間の思考のパターンをその行動の範囲と結びつけながら解き明かしてノーベル経済学賞を受賞したダニエル・カーネマン（一九三四年生）が一般向けに著した『ファスト＆スロー』（二〇一一年）を参照するのだ（マカフィー＋ブリニョルフソン 二〇一八、六四頁）。

周知のように、カーネマンは、人間は二つのタイプの思考の仕組みを擁しているという。「システム1」と「システム2」と呼ばれる二つの仕組みだ。おおざっぱにいえば「システム1は速くかつ自動的で、先天的に備わっており、ほとんど努力を必要としない」で作動する。「直感」とひとびとが呼びならわしてきたものに近い。それに対して、システム2は「注意深くゆっくり働き、後天的に身につくもので、多くの努力を必要とする」、そんな思考の仕組みである（同書、六四頁）。生きていくなかで、それぞれのシステムはそれぞれに成長していく。システム1は日常的な経験を積むなかでより向上していくし、システム2は論理や数学などを学習するなかで精緻化されていくことになる。システム2にも間違いはあるが、相対的にいって、システム1はいわゆるヒューマンエラーが多い。しかも、システム1で生じたエラーは、システム2の作動に陰に陽に介入しさえするだろう。カーネマンは、大づかみではあるものの、豊富な事例をもとに『ファスト＆スロー』で以上のような旨のことを述べた。

これを踏まえ、『プラットフォームの経済学』の著者たちは、これまでのビジネスの慣行はシステム1がモデルになっていた、という。「何かにつけて理論や数字を振りかざす経営者は、現実の世界のからくりにうまく合わせられないタイプのリーダーとみなされて」いた。計算や記録などは判断にかかわる資料作成作業であり、それは機械が下働きとしてやるのだという前提がそこにはある。ビジネス界のカリスマ経営者たちを直接名指しながら、「無秩序で混乱した状況での判断力と直感力」が重要視されてきたことを著者たちは記している。けれども、こんにち、システム2の仕組みがコンピュータ技術によって効率的に代替されていく度合いがどんどんすすんでいることを見過ごしてはならないという。決定や判断自体をアルゴリズムに任せることや、決定や判断を数値化してこれまでのやり方を逆転させる試みは、実態としてはすでにはじまっていて、じっさいに成果をあげてきてさえいる。システム1に依存するこれまでのやり方に比べて、データに基づく意思決定のフェーズへと経済活動の現場は移行しつつあるのだ。それが現実であることから目を逸らす企業は立ち行かなくなるだろう、そう著者たちは論じるのである。

具体面でも考察はすすんでいる。機械学習の出現によって、経済活動の根っこも変容しつつある。著者たちの見立てによると、技術開発の現場では記号を用いたデータ処理の仕組みの進化は停滞しているといわざるをえない一方で、大量のデータをもとに自らパターン分析をおこなう機械学習がかなえる仕組みはどんどん進化してきている。機械学習のうちでも、いわゆる「教師あり学習」は、人間がおこなっていた知的作業を自動化していくのにきわめて有効だろう。「パターンマッチング、診断、分類、予測、リコメンデーションなどに向いている」からである。加えて、視覚情報や音声情報などに対する処理方式も相当発達してきている（同書、一一四―一二三頁）。さらには、ロボット、ドローン、自動運転も、加速度的に発展してきている。あえていえば、創造性の領域にはまだ人間しか向き合えない部分があるかもしれないものの、この領域でさえ次第に自動化されたデザインマシンの導入が拡がりつつあることも見逃せない、といった具合なのだ、と（同書、一六九―一八二頁）。

情報技術が変える経済圏の姿

マカフィーとブリニョルフソンは、経済活動における土台、すなわち取引、流通、消費などのインフラストラクチャーもドラスティックに変わりつつあるという。これを理解するために持ち出されるのが、「プラットフォーム」と「モノやサービス」の対だ。

デジタル技術の上で取り引きされる財に対して、著者たちは「情報財」という用語を導入する。「情報財」の特徴は、ひとつには、その再生産が実質的なコストがほぼかからずになされうるという点だろう。ふたつには、その再生産にかかる時間についても瞬時といえるほど素早いということだ。経済学的にいうならば、追加的な複製にかかわる費用、限界費用がほぼゼロに近いのである。なかでも、彼らが「ネットワーク」と呼ぶ、つまりユーザーの間の相互作用の中で算出されていくような財は、関わるユーザーが多いほど価値が高まるという独特な属性をもつ。これも含め、情報財が循環する、つまりは流通する環境設定こそが「プラットフォーム」と呼ばれるものなのだと論じるのである。

おさえておくべきは、「プラットフォーム」はオンラインの外側にまで作用を及ぼすことになるということだ。たとえば、同じ機能をもつ二つのタイプの製品は「補完財」の関係にあると一般にいわれるが、プラットフォームにおけるアクセス設定をオープンにしておけば、たちどころに外部から補完財が次々と供給されることになる（マカフィー＋ブリニョルフソン 二〇一八、第七章）。それは、外部からの製品供給を競わせるという状態を生じさせることでもある。それが取り込む領域は、輸送から宿泊、フィットネスクラブにまでいたり、モノやサービスを扱う産業を巻き込んでいくだろう。

オンラインという環境では、膨大なユーザーを確保することが可能である。外部にあるモノやサービスの供給者にとって、それは圧倒的な魅力をもつ特質だ。マカフィーとブリニョルフソンが「Ｏ２Ｏ」、すなわち「オンライン・ツー・オフライン」と呼ぶ系列が備えるのは、そのような特質である。これまで市場がおこなってきた需給のバランス調整にまで影響を与えることは必須だろう。より経済学的な用語を使えば、いうところの情報の非対称性は、プラットフォームにおいて理論上解決されることになるのである（同書、第九章）。

これらを押さえると、「クラウド（crowd）」と「コア」の対の変化も、よりしっかりと把握することができるだろう。大づかみにいえば、情報財の世界では、クラウド、すなわち群れの形態の方が、なんらかのコア、すなわち本部という形態よりも、より効果的、より効率的な経済活動を実現していくのだ。情報財は無限に拡大する。そしてそれは、内側から自らに関する新たな情報財も生む。それは無限である。だとすれば、情報財が作る「群れ（クラウド）」は、量的には圧倒的なスケール感をもち、質的にも驚くほどの多様性を確保する。それは、トップダウンではおよそ管理できない代物だろう。加えて現在進行中の情報をめぐる経済活動の実態をみれば、二一世紀も二〇年以上経ったこんにちにあって、次第に一種の自生的秩序が生まれつつもある。従来の本部なる存在がもつ求心力からかたちづくられるものではないような秩序だ（同書、第一〇章）。

「情報財」や「ネットワーク」が爆発的に展開する（規模が拡大した多様性が広がる）フェーズにあっては、一九世紀から二〇世紀において主に専門家なるものが担ってきた本部という仕組みは、次々と出来してくるトラブルや課題に対する解決策を講じる際、およそ有効ではない。ボトムアップのデータ集約においても、トップダウンの指示伝達も、時間とコストがかかりすぎるのである。群れ型、わかりやすくいえば分散型での対応の方が、取引費用や契約コストを押し下げ、迅速かつ適切であることが少なくないだろう。著者たちはそう論を組み立てていくのである。

それどころか、本部には群れ（クラウド）の集合知が必要だが、群れの側は中心部の助けを必要としない。そこには新たな非対称性さえ出現している（同書、第一一章）。じつのところ、ビットコインなどの暗号資産を実現したブロックチェーン技術は、改竄不可能な分散型元帳を案出し、中心部からの管理とは独立した仕方で作動し、なおかつ透明性が高い（同書、第一二章）。経営的にいえば、完全に独立した分立は単なる無秩序に陥る危うさがあることはたしかであるし、分散型において不確定要因に完璧に対処することは不可能である。つまり、経営者にはそうした事柄に対するいくつかの権限がなお残る。それでも、これからの経営は、群れ、すなわちクラウドと上手に協働する仕組みを構築しなければならないし、そうすることで自らの企業をより競争力のあるものにすることができる。

セカンド・マシン・エイジは、企業のあり方そのものを変えつつある、という著者たちの主張は以上のようなものだ。

二　ショシャナ・ズボフの監視資本主義

マカフィーやブリニョルフソンの論がこれからの情報世界に対するポジティブな見通しの代表例だとするならば、経済学的な観点からネガティブな見通しを提示している筆頭は、ハーヴァード・ビジネススクールの名誉教授であるショシャナ・ズボフ（一九五一年生）だろう。ズボフによれば、わたしたちはすでに厳しい岐路に立たされている。著書『監視資本主義』は、二〇一九年出版されるやジ

ズボフ

ャーナリズムで熱狂的に取り上げられ、世界中で息急き切った翻訳がすすむとともに、Netflixでは同名のドキュメンタリー映画が製作されて多くの国で熱い話題になっている――この浩瀚な書物が二〇二一年夏に日本語でも読めるようになったのは驚くべきことでもあるが、各国での興奮ぶりをみると、日本ではその吟味がやや遅れている感は否めない。

ともあれ、こんにちにあっては情報がもたらした世界を社会の水準で捉えるのではなく文明の水準で考察しないといけないとまでいうズボフは、デジタル化された情報は、これまで人類が経験したことのない「監視資本主義」と呼びうるきわめてダークな世界を登場させつつあるという。

ズボフの論は、経済活動の水準をはるかに越えて、視野が大きく深いものになっている。じっさい、ジャン＝ポール・サルトルやテオドール・アドルノ、ハンナ・アーレントといったいわゆる大陸哲学の巨人からジョン・サールなどのアングロ＝サクソンの分析哲学の泰斗にいたる引用がなされ、ふんだんに哲学的な議論が施された上で、論が組み立てられている。

焦点を絞り込んでいえば、「監視」という政治権力の発動の際に用いられることの多い言葉が、「資本主義」という経済活動の様態を示す言葉とドッキングさせられている点が勘所である。であるので、監視を国家論や権力論から捉える議論の流れに回収してしまうとミスリーディングになるだろう。少なからず見通しにくいこの著作の論立てを以下、概観しておこう。
著書の冒頭、監視資本主義の骨格は端的に次のように説明されている。

> 監視資本主義は、人間の経験を無料の原材料を一方的に要求する。行動データとして変換するためだ。これらのデータの一部は製品やサービスの改善のために活用されるのではあるが、残りは、「行動の剰余」として名づけられ、所有に付されるものとして位置づけられることになる。そして、「機械知能（マシン・インテリジェンス）」として知られている高度な製造工程に送り込まれる、加工されたデータは、わたしたちがその時点で何をしているのか、そのあとすぐに何をするのか、ゆくゆくは何をしていくことになるのかを予知する予測という製品を産出していくのである。（ズボフ　二〇二一、八頁。訳文を変更した）

簡単にいえば、監視と呼びうる、人々の行動をデータとして抽出し、そのデータを解析し、行動予測する商品が生み出されはじめている、ということだ。それは、すでに「起こりうる行動（商品）のマーケット」を形成しはじめており、さかんに「取引」されている。資本家は莫大な利益を得て、巨大な産業分野となってきているという。こうした仕方で、デジタル技術による「監視」が、いまや政治権力の圏域ばかりでなく、経済的利益を生む取引に供されている、そういう段階に入っているのだ。そのことを指して、ズボフは「監視資本主義」と名づけた。その浸透の度合いを、豊富な事例研究と周到な論理立てで描き出し、いま現在、わたしたちが向き合うべきはどういった課題なのかについて警鐘を鳴らしてもいるだろう。

ズボフの論の骨格を、もう少し踏み込んでみておこう。

第一にズボフが読者の注意を促すのは、前世紀末より数々の知性が格闘してきている社会格差に対してデジタル技術による応答が招来させたものは何か、という問いだ。

端的にいえば、社会哲学者ジグムント・バウマン（一九二五—二〇一七年）がいうような「自己主張する権利と、そうした自己主張を実現可能にする社会的環境をコントロールする能力とのギャップ」が肥大化していくという過酷な現実だったろうという答えになる（同書、四六—四八頁）。筆者なりの整理を示しておけば、こういうことだ。経済学者トマ・ピケティ（一九七一年生）は、格差社会の過激な拡大によって彼が言うところの「世襲資本主義」、いいかえれば新しい封建主義が到来しつつある、と論じた。こうした激化しつつある格差社会に対しては、社会学者たちも察知し、対応策を論じてきた。たとえば、社会学者のアンソニー・ギデンズ（一九三八年生）は、社会領域の相当部分が近代化を遂げた段階で「第二の近代」に入ったと位置づけ直し、「セルフモニタリング」なるマインドセットが要請されるとした。ウルリッヒ・ベック（一九四四—二〇一五年）に至っては、第二の近代では個人は自らの意思決定がもたらす容赦のない事態には「自らの神」を掲げて祈るしかない、とまで主張していた。

ズボフがいうには、激化する格差社会に、デジタル技術はユニークな仕方できりこんだのだ。「アップルはその「底なしの割れ目」に飛び込」んだのであり、あえていえば「第三の近代」への道筋を切り拓こうとしたのだ。つまり、アップルがなしたのはこういうことだ。「自己主張と相互扶助の間に信頼に足る関係」を成り立たせるために、「商業上のオペレーションと、消費者が抱く純粋な関心事とを一致させる仕組み」を考案して、そこへひとびとを誘導したのである。いわば「消費者」を「ユーザー」として位置づけ直し、個人の欲望と社会の設定の間にブリッジを掛ける方策を打ち出したのである。iPhone の操作、ワンクリック注文、オンデマンドといったサービスを思い浮かべればいいだろう。それらをもって、個人における「自己決定」への渇望と「デジタル圏域」に特有の条件をマッチさせる、「第三の近代」といえる資本主義を準備したというのである。こんにちの容赦のない生のありようをめぐって哲学者や社会学者が頭を悩ませている難事をアップルは一気に技術的に突破する地平を切り拓いたのだとズボフはいう。

だが、事態はこれにとどまらない。ズボフは「知の習得に関わる分業体制が、監視資本主義に乗っ取られる」という事態も生じつつあるという（同書、二一六頁。訳文を変更した）。

二一世紀も二〇年あまり過ぎたいま、わたしたちは知らないことを知るために調べる作業、知っていることを他者に伝える作業、さらには知るべきことは何かを決める作業を、情報デバイスを用いてすすめるようになっている。もっといえば、そうした操作を学習し、身につけることが前提にすらなっている。ワードや計算ソフト、プレゼンテーションソフト、ＳＮＳサービス活用に関わるスキルや、検索エンジンや発信受信アプリケーションなど、自らの知を駆動させる操作をデジタル回路を通して身につけておくのが当たり前になりつつあるのだ。そのいちいちのスキルや操作（はたまた、それらの習得におけるいちいちの所作までをも含むのであるが）は、将来の改善に役立つようにと、ログとして記録され、データとして集積され、解析されるようになっているのである。

グーグルが見出したのは、その仕組みにおいては、ユーザーがなす自己決定の上での行為が情報データ（ログ）として残ること、そのデータを解析すれば、個々の関与主体（サイト運営主体からユーザーに至るまで）の行動特性を把握できるという手立てだ。グーグルの名を一躍有名にした検索エンジンは、その第一段階の達成にほかならないだろう。その検索エンジンに使用履歴が残り、そのことで検索結果の精度が高まり、結果として情報サービスの向上につながる。そうしたデータが大量に蓄積されてくると、データ解析の結果を利用して個々のユーザーの個々の検索書き込みに適した広告を提示することも可能になる。ビジネスモデルである「ターゲティング」広告が可能になるのである（同書、七一―八〇頁）。

これは見る角度を変えて一般化するならば、ユーザーの購入に関わる自己決定の行為を予測することが、確率論的にであれ、可能になったということを意味する。個々のユーザーの未来の行動に関わって剰余価値が見出されていくのだ。もっといえば、未来の購入行動を予測しますよという商品が現実化されることになっていくのである。注意しよう、ここでは実際にそうした行動予測が当たるかどうかはさして大きな問題ではない。そうではなく、そうした行動予測が取り引きされるということ、確たる商品として売買されるということ、それがゆえに実在しているのだといわざるをえないという経済上の事態が重要なのである。グーグルがデータを蓄え、解析し、加工し、商品として資本主義社会に生み出したのは、これまでまったく未知であった行動予測という名の商品とその市場なのだ。そうズボフは論じるのである（同書、八一―九〇頁）。

そうした商品としての行動予測の精度を高め、最適化するために、規模の経済や範囲の経済に関わる学術的研究が明らかにする諸理論が動員され、膨大な、そして多種多様な行為履歴がデータ化され、クロス分析され、統合されていくことになった。だが、こうした意味合いでの検索書き込み行為を計測（監視）していくシステムの拡大と深化は、まだ監視資本主義の第一段階にすぎない。

というのも、グーグルは、第二段階、すなわちオンライン上での書き込みやクリックという行為の圏域を越えて、デジタルネットワークの外側における行為をも積極的にのみこんでいく戦略に乗り出したからである、とズボフはつづける。

むろんのこと、これにはＧＰＳ技術などを用いた移動特定に関わるセンサー、画像や音声に関わるセンサーなどの開発が関わるし、さらにはＩｏＴ（Internet of Things）などによるデジタル技術が組み込まれた環境下での身体所作、そして生体反応などの計測機器の開発も関わってくるだろう。だが、重要なのは、技術決定論的な捉え方ではなく、技術を開発していく欲望も踏まえた、資本主義が要求する思考のロジックである。どういうことか。

先に見た「ターゲティング」広告に代表される現実世界の行動予測をズボフは「行動をめぐる経済」と呼び、次のようにいう。「この経済を達成するために、機械的プロセスは、ヒトやモノが実在する現実世界で実働に関与できるように設定されている」（訳文を変更した）と。人びとの行為を、少しばかりアシストする、ほんの少し誘導する、時にはわずかに修正する、そんな仕方でだ。改善と予測の確度を少しでも向上させるためである。「フェイスブックのニュース配信に特定のフレーズを挿入する。携帯電話に購入ボタンが出るタイミングを図る。保険の支払いが遅れたら、あなたの車のエンジンをかからなくする」（同書、二二八頁）といった具合に、だ。

こうした一連の流れがたどり着くのが、その裏側の仕組みを隠蔽しながら流布される「アンビエント・コンピューティング」、「ユビキタス・コンピューティング」、「モノのインターネット」といったバズワードである、そうズボフはいう。彼女自身は、こうした「複合体」全体を、よりニュートラルに「装置（アパラタス）」と名づけておきたいという。というのも、これらのフレーズが示しているのは、ほとんど同じような欲望だからだ。すなわち、「それが生きているか生きていないかに関わらずすべてのモノ」にかかわる、「自然的、人間的、化学的、機械的、また、行政上、メディア上の、金融上すべてのプロセス」に対して、「いかなる場所であっても、それらを常に道具化し、データ化し、接続した上で、通信回路にのせ、さらに計算処理する」、そういった構想への欲望だからである。結果、「電話機、車、道路、家、店、身体、木、建物、空港、都市」にいたる現実世界の活動全般が、デジタルの次元に変換され、そこから個々の予測商品が生み出されることになっていく（同書、二三九頁。訳文を変更した）。

だが、ズボフが指摘するには、こうしたデジタル変換が進行していく先は、その次元にとどまらない。データ抽出というのは通過点でしかなく、いまや「機械の物的構成（アーキテクチャ）は、何かを知ることができるだけではなく、何かをなすことができる」、それこそを「行動の経済」は求めはじめたからである。抽出をなす機械は、新しい「実行の機械」とセットにされはじめたのだ。それをテコにすることで、ひとびとの行動という水準に、これまで誰も気づかなかった経済的利益の莫大な土壌が立ち現れてきたのだとズボフはいう。監視資本主義は、「抽出と実行が一体化する物理的なインフラストラクチャー」から成り立っているのである（同頁。訳文を変更した）。

監視資本主義の関心は、自動化された機械処理によってあなたの行動を知ることから、自分たちの利益になるように、機械処理によってあなたの行動を形づくることに移ってきたのだ。いいかえれば、その一五年間の軌跡は、**あなたに関する情報の流れを自動化すること**から、**あなたを自動化すること**へと移行してきたのである。（同書、三八九頁。訳文を変更した。強調は引用者）

ズボフは修辞を効かせて「かつてはユーザーがグーグルを検索したが、今ではグーグルがユーザーを検索するようになった」といい、さらにはグーグル社のCEOサンダー・ピチャイを引用して「ユーザーが自分用のグーグルを所有するには、グーグルがユーザーを所有する必要がある」とまでいう（同書、二九八頁）。

ズボフが照らしていく監視資本主義の第三段階は、行動予測の深化である。第二段階では、行動なるものは、おおよそ物理的側面で捉えられていた。第三段階では、行動はむしろ当該人物のなす思考の側面も織り込む。第二段階の行動理解でも意図の次元が考慮に入っていたが、外側から計測されたデータ（身体行為から言語行為にいたるまでの）が解析される対象だった。それに対して、第三段階では、むしろ社会的な関係性の次元まで行動概念に含まれるようになる。ひとびとがどのように社会的な行動をとるのかまでもデータ処理を通して予測することが目論まれるのである。

このなかばSF世界を彷彿とさせる段階の到来については、いまだ途上である、というのがズボフの見解だ。そうであるからこそ、わたしたちは、いまならまだ軌道修正が可能だ、ブレーキをかけるかどうかを見極められる、と警鐘を鳴らすのである。「わたしたちはその道の分岐点に差し掛かっている」（同書、四五四頁）のだ。しかし、いったいどういう事態に入りつつあるというのだろうか。

ズボフは、ここでいくつか独自の用語を導入している。いちばんみておくべきは、新しく捉え返された「道具主義（instrumentalism）」だろう。急速に、かつ拡がりをもってデジタル化される現代世界の状況を指して、それを「全体主義」として、あるいは「帝国主義」として論じようとする向きはこんにち少なくない。ズボフもまたそうした方向ではあるのだが、やや独自の見解を示している。全体主義の理論を第二次世界大戦時におけるドイツやイタリアのイデオローグを通してたどり直した上で、いま立ち現れつつあるのは、それとは異なる、そしてより深刻に憂うべき状態だとズボフはいう。

道具主義的な権力は、〔全体主義的なそれとは〕異なる具合に動くのであり、いわば、反対の方向に向かう。全体主義は暴力を通して実働させられたわけだが、道具主義的な権力は、行動調整を通して実働させられる。この点にかかわって、わたしたちは焦点を移動させなくてはならない。道具主義的な権力は、人間の魂であれ、何かを導こうとする原理であれ、まったく関心がない。精神を救済するためのトレーニングや矯正は不要で、人々の行動を裁定するイデオロギーもない。人間を魂もろとも所有しようと要求することもない。〔…〕道具主義者が気にかけるのは、わたしたちのあらゆる行動を、変換、計算、調整、収益化、制御にかかわって絶えず進化する実働オペレーションに常に繋げておく、ということだけなのだ。（同書、四一二頁。訳文を変更

した）

本章では、情報技術が招来する未来にかかわって、人間の具体的な活動、とりわけ経済活動の次元において、どのような展望をもつことができるのか。それを、マカフィーとブリニョルフソンの論を明るい展望の典型として、ズボフの論を暗い展望の典型としてみてきた。

そこに浮かび上がってきたのは、情報技術がもたらす未来の予測には、〈個人‐集団〉の軸に、もしかすると〈人間の集まり〉といったレンズも必要なのかもしれない、ということである。マカフィーとブリニョルフソンが「企業」、ズボフが「社会」と呼んだ実在だ。前章でみた技術文明論、とりわけボストロムとテグマークが、〈個体としての人間〉と〈集合としての人間〉の間で、なにがしか競合する〈人間の集まり〉同士を予測せざるをえなくなっていたことを思い返してもいい。これは具体的な人間の活動の局面を考えようとするときにはなおさら考慮に入れないわけにはいかないポイントとして浮上するものだろう。

以上を踏まえ、本章では、次のようなダイアグラム3を提示しておくことにしよう。

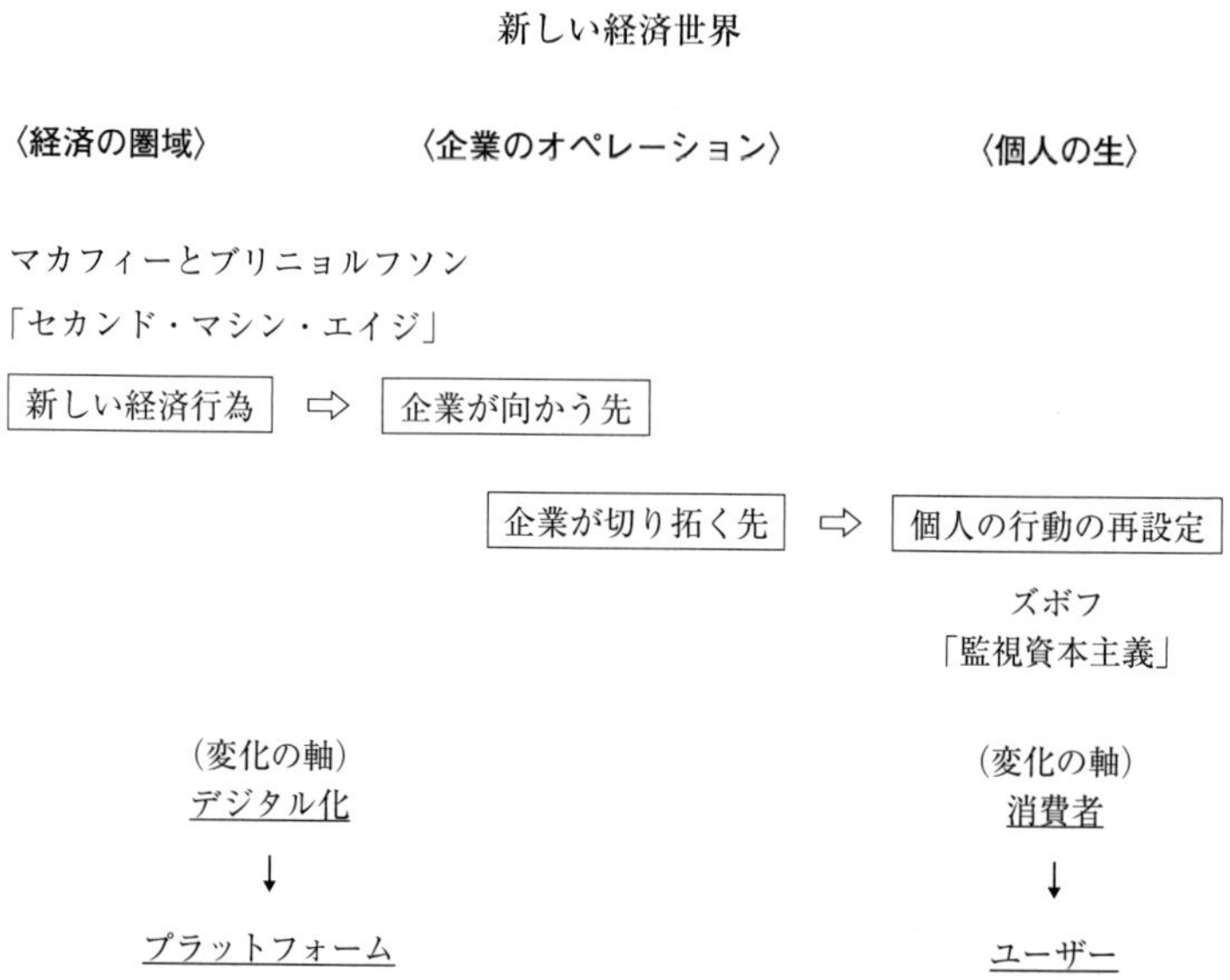

新しい経済世界

〈経済の圏域〉　**〈企業のオペレーション〉**　**〈個人の生〉**

マカフィーとブリニョルフソン

「セカンド・マシン・エイジ」

新しい経済行為 ⇨ 企業が向かう先

企業が切り拓く先 ⇨ 個人の行動の再設定

ズボフ

「監視資本主義」

（変化の軸）

デジタル化

↓

プラットフォーム

（変化の軸）

消費者

↓

ユーザー

ダイアグラム３

第3章　情報と政治の未来

　情報をめぐる関心が政治の言説の圏域にまで及んでいること、それを本章ではみていくことにしよう。じっさい、情報をめぐる考察は、もっとも先鋭的な知性の担い手において、なだめがたい政治的主義主張の枝分かれをも生んでいる。その光景を描き出しておきたいのである。

　取り上げるのは、まさしく国境を越えて国際舞台で活躍するトップランクの三人の知性である。すなわち、政治学者フランシス・フクヤマ、哲学者マイケル・サンデル、歴史学者ユヴァル・ノア・ハラリのそれぞれが情報なるものに対して組み立てる議論をみてみたい。三人の議論は、じつは好対照なほど異なっており、一見ニュートラルに映りもする情報なるものが、こんにち、とんがった政治的主張がせめぎ合っている格好のアリーナをかたちづくっている。別の言い方をすれば、三人の論客が展開する情報技術に関わる見通しのよい見取り図をつくることで、情報の問いがいかに政治的な問題圏に囲まれているのかを炙り出しておきたいのである。

一　フランシス・フクヤマと「テクノロジーの政治学」

フランシス・フクヤマ（一九五二年生）からはじめよう。というのも、二〇〇二年に、彼はまさに「テクノロジーの政治学」というフレーズを章のタイトルに組み込み、いま現在の科学技術が抱える政治的課題に取り組んだ著作『人間の終わり』を刊行しているからである。

少し経緯に触れておこう。この著作は新しい世紀になってまだまもない二〇〇二年に刊行された著作である。フクヤマは、東西冷戦が終結した直後の一九九二年に『歴史の終わり』と題された著作を発表し、共産主義国に勝利した自由主義国の勝利という同時代の情勢を受けて、イデオロギーの終焉、すなわち思想の闘争に賭けた歴史の終焉を説いた。この主張が大きな波紋を呼んだのはよく知られるところだ。だが、この「歴史の終焉」論に対して向けられた、科学技術の進歩による歴史の揺れ動きはまだつづくだろうという反論については、フクヤマ自身も有効な反論をその時点では組み立てられなかったようだ。それがゆえに、科学技術と歴史という問いに取り組まざるをえなかったようである（フクヤマ 二〇〇二、一七―一九頁）。

コンテクストをもうひとつ述べておこう。二〇〇三年にブッシュ大統領のかけ声のもと組織された生命倫理評議会にフクヤマは参加している。バイオテクノロジーが急速に発展するなか、生命のこれからのあり方について哲学的検討をおこなう担当のためである。『人間の終わり』は、その経験をもとに書かれている。

フクヤマの著作の議論の大枠のフレームは、冒頭に示されている。二一世紀における科学技術の状況をさしあたり二つの流れに区分けできるだろう。ひとつは狭い意味での情報技術（ＩＴ）であり、もうひとつはバイオテクノロジーである。フクヤマは前者についてはさしあたり問題はないとしていて、それは大勢としては自由と平等の拡大に寄与しているからだという――情報技術は主にコミュニケーションに関わるデジタル技術によるバージョンアップが目指されているとみなされているのだ。ジョージ・オーウェル（一九〇三―五〇年）が描き出した『一九八四年』の政治に関する予言は的外れだった」（同書、五頁）とまで言い切っている。「はじめに」でみたケンブリッジ・アナリティカ社の騒動をみれば、フクヤマのこうした観察はみごとに裏切られていくことになるといえるが、その点はあとでおいおい詳しくみていくことにしよう。対照的に視界にせり上がっているのは、バイオテクノロジーがわたしたちの世界に差し出している課題であるという。端的にいえば、それが「人間の尊厳」を脅かしているからだ。オルダス・ハクスリー（一八九四―一九六三年）が『すばらしい新世界』（一九三二年）で描き出したような、誰もが健康で幸せに暮らしているものの「人間本来の性質」が失われてしまったような世界が待ち受けているからだ、フクヤマはそう論を切り出す（同書、七―八頁）。

「人間の尊厳」や「人間本来の性質」とは、ではいったい何なのか。もちろん、ナイーブな道徳論が言われているわけではない。ましてや、中途半端な形而上学的な思弁が講じられているわけでもない。国際情勢をみるに鋭敏で政治的リアリストとしても名高いフクヤマが、宙に浮いた抽象論をかざしているとみると見誤ることになる。簡単にいえば、二つの方向で、生物学主義が日々増していく状況に対して、それはわれわれ人類が近代において苦労して作りあげてきた人間なるものの理解の仕方を脅かしている、ひいては、そうした理解の仕方によってこれまで構築され運営されてきた（政治も含めた）社会制度までもが崩れ落ちんとしていると警鐘を鳴らすのである。

二つの方向の生物学主義とはどういうものか。人間はほかの生物と同じく生き物であり、つまりは動物であることこそが第一義的な存在の仕方であり、その度合いは文化的そして社会的な人間のありようを凌駕するほどで、わたしたちはその生物学的決定性から逃れることはできないと主張するのが第一のものだ。他方、そうした生物的に拘束性の強い諸条件を物質的に変えることができるのであれば、大いに推奨されてしかるべきだ——じじつ、そうした改変によって多くの命が救われ、多くの障害が取り除かれたり緩和されたりしてきた——という物理的ないし物質的な改変可能性を強く肯定するのが第二のものである。これら二つの生物学主義がこんにちにあっては、遺伝学の進歩、もっといえば遺伝子解析の急速な発展、遺伝子操作技術の加速度的な高度化によって、目の覚めるような成果をあげ、耳目の集まるところとなっているだろう。

フクヤマ

フクヤマは「バイオテクノロジー革命が単に個々の親や子の生活に影響するのとは対照的に、その政治的影響をどのように予測できるだろうか」と問いかけ、それはむずかしいことだという。だが、遺伝子工学は、「デザイナー・ベビーを誕生させることができないとしても、現代のバイオテクノロジーは、将来の世界政治に影響するような結果を既に生み出している」という。そして、こうつづける。

我々が今日経験しているのは、DNAを解読し、操作する能力における技術革命というだけではなく、その基盤となる生物学の革命である。この科学的革命は、分子生物学のほか多数の関連分野——認知神経科学、集団遺伝学、行動遺伝学、心理学、人類学、進化生物学、神経薬理学など——での研究と進歩に基づく。これらの科学分野はすべて、政治的意味を孕んでいる。なぜならば、すべての人間行動の源である脳についての知識を増し、それによって操作する能力をも高めるからだ。

後で述べるが、遺伝子工学が途方もなく素晴らしい成功をおさめるという前提を立てなくても、これからの数十年の間に、世界はがらりと変わるだろう。今日、そして近い将来、遺伝子のプライヴァシー、薬物の使用、胎児や胚にかかわる研究、クローン人間について、倫理的選択を迫られることになる。まず、出産・着床前の胎児・胚選択についての問題に取り組まなくてはならないだろうし、さらには医療テクノロジーを治療目的よりも「(性質や知能の)向上」のためにどこまで用いてよいか、という問題に直面するだろう。(同書、二二—二四頁)

フクヤマは問う。社会生活のさまざまな局面で勢いを増すこれらの生物学主義がなす人間理解は、人類が近代において組み立ててきた人間なるものの理解とは著しく異なる、いや、根本的に異なるのではないか。具体的には、こうだ。左派陣営では、中絶し、取り出された胚がほかに利用されるようになるべきか否か、利用されうるとしたら、その許容範囲はどこまでかは、かなりデリケートなテーマだろう。右派陣営では、新しい技術による健康上の恩恵は計り知れないし、産業的には莫大な利益のチャンスとなろうが、他方では、中絶や家族に関わる倫理上の規範群との折り合いがつかなくなる危うさがドラスティックに高まるだろう。

フクヤマがそこでもちだす「人間の尊厳」は、人類が自らを永続させるために鍛え上げてきた知の力、すなわちアリストテレスからカントにいたるまで練り上げられてきた哲学の知の力である。そうした意味合いでの知の系譜においては、とりわけ近代初期において、あえて個人名で特定しておけばカントにおいて決定的な更新があったことにフクヤマは注目する。すなわち、カントにおいて「理性的存在者が自然の因果を超越」しうる可能性が指し示された点である。「我々は本当の道徳的選択ができ、また意思も因果に縛られず自由でありうる」という思想がそのとき確立された。カントに託して、フクヤマはこう主張する。

そもそも道徳的行動は自然の欲望、つまり本能の産物であるわけがない。むしろ自然の欲望と逆行し、理性のみがこの行為が正しいと我々に命じるのだ。『道徳形而上学原論』の冒頭で、カントは「この世界には――向こうの世界にも――、善なる意志以外に、無条件で善と呼べるものは何もない」と述べた。人間の他の目的は、知性や勇気から富や権力まで、「善なる意志」にかかわる場合にのみ善である。善なる意志は望ましい唯一のものである。（同書、一三七―一三八頁。

訳語を変更した）

こうしてカントがいう「意志」、そして「自由」の概念を基礎として、討議による議論を通した民主主義による意思決定の手続きという政治的形態を擁護する方向でフクヤマの論は組み立てられている。「科学とテクノロジーの目的」を確立して、その善悪を判断できるのは、「神学、哲学、政治学」だけだろう。具体的には、「科学利用の何を合法とし、何を非合法とするか、それを誰が決めるのかという問題は、実際はかなり簡単なことであり、数世紀にわたる政治理論と現実によって明らかになっている」。「民主的政治機関」を通しての意思決定の手続きである。近代欧米においてかつて優生保護法のような悪い例があったことは事実だが、「科学それ自体は人間の目的を達成するための道具にすぎない」のであり、民主的議論こそが必要なのである（同書、二一五―二一六頁）。

フクヤマは、バイオテクノロジーという科学技術の行方に関する大きな課題について、自由民主主義によって「人間の尊厳」を擁護する意思決定手続きこそが不可欠である、という結論にいたるのである。

二　マイケル・サンデルと「守るべき美徳」

じつは、大統領諮問委員会には、もうひとりの哲学者が出席している。マイケル・サンデル（一九五三年生）である。エネルギッシュな授業を世界各国でテレビ放送し、国際的な知的スターとして活躍する哲学者であり、日本でも馴染みがある人は少なくないはずだ。

当の諮問委員会へ参加したあと、サンデルは二〇〇七年に一冊の著作をものしている。『完全な人間を目指さなくてもよい理由――遺伝子操作とエンハンスメントの倫理』と題された小著である。副題で示されているとおり、ここでも主に遺伝子操作の技術をめぐる問いが政治哲学上の観点から考察する仕事である。狭くいえば、情報技術に絞り込んで照準を合わせた考察ではないかもしれない。とはいえ、広くいえば、サンデルも「情報という問い」に向き合わざるをえなかったといっても間違いではないだろう。本書の企図からすると、じつはサンデルの論をおさえておくと、それが合わせ鏡となってフクヤマの論がよりシャープに照らし出され、次節でとりあげるハラリの論もより明瞭に浮かび上がることになる。以下、サンデルの議論の次第をみておこう。

バイオテクノロジーが、人間が人間たる所以、人間の本性を脅かすという懸念を、サンデルもフクヤマと同じく示している。だが、守るべき人間の本性について、その哲学的な扱いが両者では明白に異なると思われる。サンデルにおいては、自由や民主主義を守るために、その論が組み立てられているのではない。むしろ、素朴な自由と民主主義は、強く否定されるべきものとして斥けられている。

サンデルはいう。「リベラルな社会」における「自律」や「公平」や「個人の権利」といった言葉では、「クローニングやデザイナー・チルドレンや遺伝子操作が提起するきわめて困難な問題」をしっかりと取り扱うことはできない[1]。そうではなく、「自然の道徳的地位や、所与の世界に向き合うさいの人間の適切な姿勢にかんする問題へと、立ち返る必要がある」（サンデル 二〇一〇、一二頁）と切り出すのである。道徳に関する議論抜きには、遺伝子工学の哲学的な診断はできない、というわけだ。サンデルは、彼の政治哲学上の仕事でも中心になっていたテーマ、すなわち道徳哲学の可能性の観点からアプローチすべきだというのである。

サンデルは平たい言い回しでこう述べてもいる。遺伝子操作の技術といった「営みがどのようにして人間性をすり減らすのか」を問うことが求められるところなのだ、と（同書、二七頁）。この脈絡で、彼もまた遺伝子操作は「人間の尊厳」を脅かすと記しているが、それは「徳」の観点からこそ考察すべきものだとしている（たとえば、同書、四二頁）。

> エンハンスメントや遺伝子操作の主要な問題点とは、それらが、努力なるものをないがしろにし人間的な行為者性（human agency）を蝕んでしまうといったところにあるとは思わない。いっそう深刻に思えるのが、それらが、ゆき過ぎた行為者性（hyperagency）、すなわち、己の目的に仕えさせ己の欲求を満たすために自らの本性も含まれる自然なるものをまるごと作り直そうというプロメテウス的な野心がそこに表象されているという点である。問題となるのは、機械というものへの偏向ではない。ではなく、支配したいという欲求である。支配したい

サンデル

という欲求が見失わせまた破壊すらしかねないのは、人間の能力や達成がもつ、それが贈与されたものをもつという特質に対する深い理解である。(同書、三〇頁。訳文を変更した)

「ゆき過ぎた行為者性」や「贈与されたものをもつという特質」といった扱いにくそうな言い回しが用いられていることもあって、サンデルにしては、にわかに咀嚼しがたい一節だ。サンデル専門家ではないが、なんとか整合的に読んでおきたい。

補助線として、サンデルの別の著作『これからの「正義」の話をしよう』(二〇〇九年)を援用しよう。一般書の趣きをもつ著作ではあるが、その論理的骨格は、より学術的な仕事、たとえば主としてジョン・ロールズ(一九二一―二〇〇二年)の正義論に批判的分析を施した『リベラリズムと正義の限界』(一九八二年)や、アメリカ政治史をかたちづくってきた政治的言説を丹念に批判的考察の俎上に載せた『民主政の不満』(一九九六年)と変わるところはない(サンデル 二〇〇九、二〇一〇―一一を参照)。むしろ、エッセンスがより明瞭な仕方で抽出されているといっていいものだ。

『これからの「正義」の話をしよう』の終盤、サンデルはこの著作における論述の概要を次のようにまとめている。正義なるものについては切り詰めていえば、政治哲学の学説上、おおよそ「三つの考え方」がある。第一のものは、「効用や福祉を最大化すること――最大多数の最大幸福」から規定しようとする正義論である。第二は、「選択の自由の尊重」の立場から規定するものであるが、これには「自由市場で人びとが行なう現実の選択(リバタリアンの見解)」と、「平等な原初状態において人びとが行なうはずの仮説的選択(リベラルな平等主義者の見解)」がある。第三は「美徳を涵養すること共通善について論理的に考えること」からアプローチしようとするものである。サンデルは第三のものを支持するといい、その理由を以下のように説明する。

第一の、すなわち功利主義者の規定には、「正義と権利を原理ではなく計算の問題としている」という点、また「あらゆる善をたった一つの統一した価値基準」で考えようとする点、という二つの欠点がある。第二の、すなわち選択の自由に基づく考えであれば、前者の欠点は回避できる。だが、後者の欠点には対応できない。自由に基づくこれら二つの理論は、「尊重に値する権利を選び出すことはせず、人びとの嗜好をあるがままに受け入れる」のだ。そこには、「われわれの追求する目的の道徳的価値も、われわれが送る生活の意味や意義も、われわれが共有する共通の生の質や特性も」、おしなべて「正義」という論議とは異なる水準にあるとする理論上の前提がある。だが、サンデルによれば、そうした論の組み立ては「間違っている」。正義の論議は、避けがたく「善き生の意味」、すなわち「道徳」の意味合いを考えずには接近できないはずだからである。どうしてか。

サンデルが、同じ著書の別の箇所で、哲学者アラスデア・マッキンタイア（一九二九年生）の『美徳なき時代』（一九八一年）での言に注意を寄せていることに目を向けてみよう。

人間は物語る存在だ。われわれは物語の探求としての人生を生きる。「『私はどうすればよいいか』という問いに答えられるのは、それに先立つ『私はどの物語のなかに自分の役を見つけられるか』という問いに答えられる場合だけだ」。（サンデル　二〇一一、三四八頁。「　」はマッキンタイアの文章）

敷衍しておこう。ひとが人間として社会のなかで生きるとき、自分が主役である物語を必要とする。それは避けがたい。その役まわりを見出してこそ、己の生を意義あるものとして、生きるに値するものとしてとらえることができるからだ。そしてサンデルによれば、そうした物語は、しかし、そのひとが属するコミュニティにおける文脈化があってはじめて成立しうるものである。

サンデルが再三再四、哲学史に、なかでもアリストテレス哲学（とりわけ『ニコマコス倫理学』）に言及するのもこのためだ。人間が正しくおくるべき生のあり方は、人間の本性に備わる「目的因」によってこそ措定できるとアリストテレスはいった。この考え方に拠って立つことで、生物学的本質主義も、また奴隷制を前提とした市民制の前提も周到に回避することができ、むしろコミュニティの成員が培（つちか）い、蓄積する美徳というものの存在に依拠して「目的因」をアップデートすることができる、という論法をサンデルはとる。コミュニティがその歴史において名誉や報いという形式でもって育ててきた美徳という心の習慣をこそ軸として「目的因」は実質化される、という考え方である。そこから導き出すことができる「善き生」、それこそが個々の具体的場面で正義や倫理を問う際の議論の礎になるというのである。

遺伝子操作を扱うサンデルの議論の背後に控えているのも同じ論法である。

サンデルにいわせれば、バイオテクノロジーが実現（強化）していくと標榜している理想の多くは、個体としての人間の満足を最大化するプロジェクトにほかならない。最大多数の最大幸福という素朴な功利主義的な発想の背後で走っているのは個人を単位とした計算主義ロジックである。そうしたロジックは、人間が互いに信頼し合いながら築き上げてきた価値、集団として共有される美徳、そこにおいてこそ了解される人間としての尊厳などを端的に損なうものにしかならない。

「贈与されたものをもつという特質」は、この文脈で解するなら、集団において生を執りおこなってきた人間がこれまで培ってきた互いへの配慮、蓄えてきた知恵、尊重すべき価値といったくらいに捉えておけばよいだろう（同書、三〇頁）。「ゆき過ぎた行為者性」というのは、そうした個々の人間に先立って醸成されてきた、人間的なものの関わりの圏域や人間と自然が双方で醸成してきた関係性（「被贈与」）の次元に、なにがしかの超越的なものが介入してくる事態を指している。デジタル技術、そしてそれが切り拓いてしまった遺伝子の操作可能性は、そうした従来の（被贈与的）世界における人間なるものが担う行為主体である度合いを凌駕するとサンデルは論じるのである。

この背景の論理が、フクヤマとサンデルを分かつ。フクヤマの論立てでは、先に記したように、情報テクノロジーに関わっては、それをあくまで中立的な「道具」として了解している向きが強い。バイオテクノロジーは「人間の尊厳」を脅かすものであるが、それは自由と民主主義の精神が損なわれるからであった。他方、サンデルにあっては、テクノロジーはときとして人間の美徳にそのまま侵襲してしまう怖れのあるものだ。哲学の営為は都度、テクノロジーの侵襲から人間の美徳、人間の尊厳を守ってやることが求められるということになるだろう。

三　ユヴァル・ノア・ハラリと「自由主義の擁護」

最後に、ユヴァル・ノア・ハラリ（一九七六年生）の論を、わたしたちの見取り図のなかに位置づけておくことにしよう。ハラリほど、大きな構想力で、現在進行中の情報技術について真正面から論じた知性はほぼおらず、しかも広く各方面で話題になる論陣を張っているからである。

ハラリは『サピエンス全史』（英語版二〇一四年）において、原子（物理）の世界と分子（有機体）の世界と言語（ホモ・サピエンス）の世界という三つのレイヤーの絡み合いの視点から、スケール感をもったダイナミックな地球史のフレームにおいていま問われるべきヒトの位置と特性を鮮やかに浮かび上がらせ、まさにワールドワイドで話題になった歴史学者である。近年、歴史学者デイヴィッド・クリスチャンらの『ビッグヒストリー』（二〇一四年）や、進化生物学者ジャレド・ダイアモンドによる『銃・病原菌・鉄』（一九九七年）といった超マクロ視点からなされる歴史研究の成果が矢継ぎ早に刊行されているが、ハラリもまたその一角だといっていいだろう。

つづく『ホモ・デウス』（英語版二〇一六年）においてハラリは、同じようなスケール感をもって、しかも今次は未来に向けたパースペクティブから情報技術を主題としてとりあげる。神がごとく万能なヒトにならんと欲望する技術的野心の帰趨を予言し、このままの進行ではホモ・サピエンスが作り上げてきた豊かな人間性のかたちを消滅させてしまいかねない、というディストピアを描き出した。稀代の歴史学者は、人間とは何か、どうなっていくのかを深く考察する構想論的な哲学者の風貌も兼ねそなえているのである。

そんなハラリが二〇一八年、情報技術の未来に対する差し迫った種々の課題について論じる著作を発表した。『21 Lessons』である。こちらの方を、ここではとりあげておきたい。

というのも、同書は、二一世紀に生きる人類が真正面から向き合うべき二一の難題をリストアップして鋭利に論じこんだ著作であり、きわめて現実的な感度でスケッチされているからだ。レトリックを利かせていえば、ディストピア的な瞑想で締めくくられていた『ホモ・デウス』と比べて、情報技術の未来図がより実効的に、訴求力のある仕方で提示されており、今後の世界がリアリスティックに論じられている。じっさい、この書はすぐさま各界で大きな関心を呼んだが、それは読書界のみならず実務の世界にも刺激を与えた。フェイスブックの創始者マーク・ザッカーバーグとの対談や、往時の国際通貨基金の専務理事（現欧州中央銀行総裁）クリスティーヌ・ラガルドとの対談、さらにはハリウッドでピカイチの秀才ナタリー・ポートマンとの対談などが催されるにいたっている。

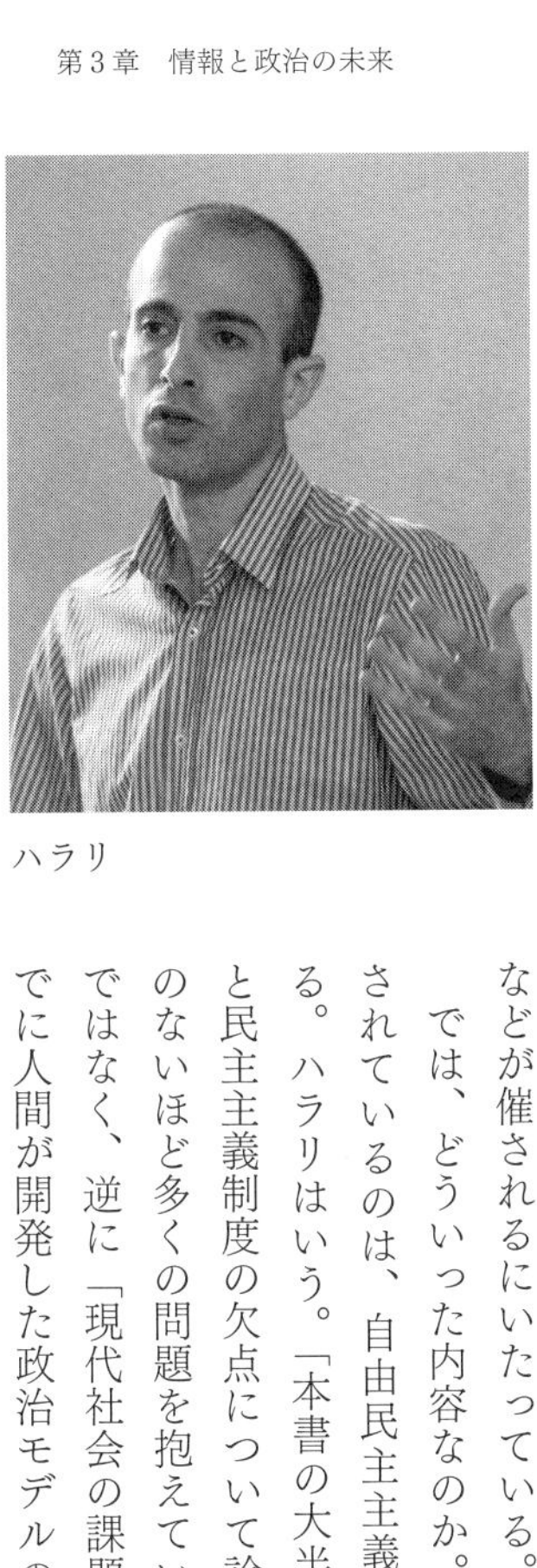
ハラリ

では、どういった内容なのか。新しい著作で強く前景化されているのは、自由民主主義を強く擁護する論陣である。ハラリはいう。「本書の大半では、自由主義の世界観と民主主義制度の欠点について論じる」が、それは「比類のないほど多くの問題を抱えている」からではない。そうではなく、逆に「現代社会の課題に取り組むためにこれまでに人間が開発した政治モデルのうちで最も出来が良く、融通が利くと考えているから」だという。わたしたちがこんにち抱える諸課題と向き合う際には「自由民主主義の限界を理解し、その現状をどのように適応させたり改善したりできるかを探究する必要がある」、そう述べるのである（ハラリ 二〇二一、一九―二〇頁）。前著『ホモ・デウス』では西洋近代における政治理念としての自由主義も情報技術の荒波に凌駕されていくことになろうと予言されていたことを思い出せば、ちょっと驚いてしまうくらい現実主義的なトーンが強いのである（本人もその点は自覚していて、長期的な展望と短期的な展望という視点位置に関わる違いなのだ、と断り書きをつけている）。

そして、「情報技術」がその次のキーワードとして強く書き込まれるのだ。少し先取りしておけば、著作の前半では明瞭に、情報技術の発展が自由民主主義を崩壊させてしまうだろうというシナリオとそれへの対応の必要性が強く説かれているだろう。そのシナリオは、じつは後半の論述にもあちこちに顔を覗かせていて、全体を通底するモチーフにもなっている。具体的にみていこう。

ハラリは第一章で、自由主義、共産主義、ファシズムという三つの政治思想が二〇世紀を滑走したこと、世紀半ばから後半にかけて自由主義のみが生き残ったという経緯を確認する。その上で、こう述べるのだ。「産業革命の大変動が二〇世紀の新しいイデオロギーの誕生につながったのとちょうど同じで、来るべきバイオテクノロジーとＩＴの革命も斬新なバージョンを必要としそうだ」と。だとすれば、いまこそ「新しい社会モデルや政治モデルを考案する時代」でなければならないだろう（同書、四七頁）。第二章につづく橋渡しとして、「このテクノロジー上の難題の性質を理解するためには、まず雇用市場に目を向けるのが最善かもしれない」と、そのシナリオ上の重篤な難題が一気に提示される。情報技術は「無用者階級」を生むというのである（同書、四九頁）。「テクノロジー革命は間もなく、何十億もの人を雇用市場から排除して巨大な「無用者階級」を新たに生み出」すだろう、と。二一世紀初頭、ＡＩ革命がいまある職業の半数くらいをなくしてしまうだろうという予測が巷を賑わせたことを覚えているひとも多いだろう。ハラリによれば、それどころではない。「既存のイデオロギーのどれ一つとして対処法を知らないような社会的・政治的大変動」（同頁）が起きるのだ。それは、さしあたり経済学の問題系になるのだろうが、大多数のひとびとが無用となれば、それはすぐさま政治的な問題に転じる。先の引用にあった「新しい社会モデル」は、ここで「ポスト・ワーク社会やポスト・ワーク経済やポスト・ワーク政治」と言い直され、わたしたちはそれこそを案出せねばならないのだという（同書、七五頁）。

そして、情報技術がもたらす「無用者階級」というサブストーリーは、じつは自由民主主義の危機につながっているという。どういうことか。

ハラリはまず、自由民主主義が歴史的な産物であることを確認する。かつては「神の言葉を神聖視するべきだ、と人々は何千年にもわたって信じてきた」。そこから「権限の源泉」が数世紀前、つまり歴史がいわゆる近代に入ってはじめて「生身の人間に移った」だろう。そして、こうつづけるのである。

　間もなく、権限は再び移るかもしれない——人間からアルゴリズムへと。神の権限が宗教的な神話によって正当化され、人間の権限は自由主義の物語によって正当化されていた。それとちょうど同じで、来るべきテクノロジー革命はビッグデータアルゴリズムの権限を確立し、同時に個人の自由という考えそのものを切り崩すかもしれない。（同書、九二頁）

単純化していえば、人間は、さまざまな「権限」を、自由民主主義のシステムではなく、情報技術にゆだねるようになるだろう、そうハラリは論じるのである。

注意しよう。政治的主張の表面だけをみれば、フクヤマの主張と似たものにみえるかもしれない。双方ともに、自由民主主義の失墜を懸念しているからだ。けれども、ハラリはフクヤマとまるで異なる根拠のもとに、それを憂えているのである。ハラリはいう。

私たちは今、二つの巨大な革命のさなかにあるからだ。一方では生物学者たちが人体の謎――それもとくに、脳と人間の感情の謎――を解き明かしつつある。同時にコンピューター科学者たちが、前代未聞のデータ処理能力を私たちに与えてくれつつある。（同書、九五頁）

フクヤマ（あるいはサンデル）の場合は、情報技術の発展が招来した脳神経科学が人間の機能の強化や拡張に用いられるときに、人間性（近代民主主義や美徳）の消滅を危ぶむ、という格好の論立てになっていた。それに対して、ハラリは、情報技術が生物の機能の改変をすすめる「バイオテクノロジー」の段階で人間が被りつつある変容に注意を寄せようとしている。端的にいえば、ハラリが照準を合わせているのは「バイオメトリックス」である。シンプルにいえば、生体反応に関わるセンシング技術の高度化、他方では、そこで吸い上げられたデータの処理（演算速度と計算アルゴリズム）の高度化、さらには人間の身体各部に作用する技術の高度化が組み合わさることでなされる、すすんだ研究分野であり、ステージの変わった事態だ。フクヤマが『人間の終わり』をものしてから一六年も経過しているので、そこに不足をみるのはフェアではない。日進月歩どころか秒進分歩とも呼ばれるのが情報技術の進歩のテンポ感だ。二人の表面的な比較談義よりも、むしろ一六年の間に「情報」をめぐる光景、そして「情報という問い」がラディカルに変貌したことを確認することこそが肝要だろう。

バイオメトリックスの発展はなにをもたらすのだろうか。ハラリは先の引用につづけてこう述べている。

バイオテクノロジー革命が情報テクノロジー（IT）革命と融合したときには、私の感情を私よりもはるかにうまくモニターして理解できるビッグデータアルゴリズムが誕生する。その暁には、権限はおそらく人間からコンピューターへと移る。これまではアクセス不能だった私の内なる領域を理解して操作する組織や企業や政府機関に日々出くわしているうちに、自由意志という私の幻想は崩れ去るだろう。（同頁）

バイオテクノロジーと情報技術の融合は、わたしたちが自らのものと信じていた感情や意識を外部から操作し、畢竟、わたしたちから「自由意志」を奪うことになるだろう――そうハラリは予測する。本書をここまで読みすすめてきた読者は、もうSF話だとは思わないだろう。第1章で見たボストロムとテグマークは意思決定がAIに代替されていくことを、第2章で見たマカフィーとブリニョルフソン、そしてズボフは感情や意思決定をビッグテック企業が操作する段階に入っていくことを予測していた。大枠でいえば、ハラリは同じことを別の角度から述べているに過ぎないのだ。

さらには、だ。バイオメトリックスは人間すべてから「自由意志」を奪うのではない。そうではなく、奪う側と奪われる側に分けていくことになるだろう、そうハラリはいう。

バイオテクノロジーとITが融合したら、民主主義は現在のような形のままでは生き延びられない。民主主義がまったく新しい形に自らを仕立て直すか、さもなければ、人間が「デジタル独裁国家」で生きるようになるかの、どちらかだ。（同書、一二三頁）

具体的にいえば、「政権は、あなたがどう感じているかを正確に知るだけではなく、何なりと望みどおりのことをあなたに感じさせることもできるようになりうる」だろうし、「独裁者は国民に医療や平等は提供できないかもしれないが、彼らに自分を敬愛させ、敵対者を憎ませることができるだろう」ということだ。

ハラリは、自由民主主義から新たなる独裁主義が台頭してくることにこそ警鐘を鳴らしている。それが独裁主義なのかどうかはともかく、ここでハラリをサンデルと比較しておくことが役立つかもしれない。サンデルのいう「コミュニティ」が培い、蓄えてきた「美徳」は、翻っていえば、そうした美徳を信じることができないひとびとを排除する可能性をもっている。サンデルは個々のケースでそうした美徳論の有効性を丹念に見定めていく議論が必要だとしているのだが、しかし結果として特定の美徳が価値として屹立し、覇権をえた場合、いったいどのような世界が招来するかについては正直なところ危うさが残っている。ハラリの論述には、そうしたサンデルの危うさをターゲットにして浮き彫りにするようなものが少なくない。

たとえば、『これからの「正義」の話をしよう』の終わり近くにある、同性婚の是非を、法的制度よりも社会契約の一種として捉えながら結婚の本来的な目的因を語るサンデルの議論はどうだろうか。安易な平等主義に対するこの種の批判に対してハラリは真っ向から批判していて、まるでサンデルに対峙しているようにさえみえる。

あるいはまた、極端な事例を提示し、近代的人間観が説く倫理的判断の土台を切り崩しながら（近年、日本にもこういう手法を持ち出す論客が少なくないように見える）、コミュニティの美徳に裏打ちされる道徳観を称揚するのがサンデルの得意とするところだ。典型的には「トロッコ問題」があるだろう。ブレーキもハンドル操作も効かないトロッコにのってしまい、レールの右側に見知らぬ人を五人、左側に自分の母親を視認するが、そのどちらかの側に突っ込んでいかざるをえない場合、どう決断するのか、という問題だ。ハラリはいう。

> たとえば、見知らぬ人が苦しんでいれば停止して助けるように自動運転車をプログラムすれば、火が降っても槍が降っても、その自動車はそうする。〔…〕同様に、もしあなたの自動運転

車が、目の前の二人の子供を救うために対向車線に逸れるようにプログラムされていれば、その自動車はまさにそうするだろうことにあなたは命を賭けてもいい。つまり、トヨタやテスラは自社の自動運転車を設計するときに、倫理の哲学の理論的問題を工学の現実的問題に変えることになるわけだ。（同書、一一二頁）

哲学者の机上の議論を凌駕する「哲学的自動車」が誕生するかもしれないのである。

それにとどまらない。ハラリが注意を促すのは、そうしたアルゴリズム主義が「求職者の採用」に適用されることが招く経済体制上、さらには社会体制上の帰結である。プログラムをデザインする人が、意識的にせよ無意識的にせよ、雇用条件に関わるなにほどかの倫理基準をそこに反映させてしまった場合、どのような求職者が当該企業に、あるいはそれと似たプログラムをもつ多くの企業に採用されてしまうか、という事態の帰結である。

こういっておこう。リベラリズムを否定するコミュニタリアニズムは、ややもすると特定の美徳を過度に持ち上げ、穏当な水準での公平性や平等性の社会的な仕組みを人間の尊厳にとって価値のないものとして退けてしまいかねないように映るのだ。

こうした事態を回避するためには、つまり人間がいま享受している「自由意志」の権限を奪われないためには、「一握りのエリート層の手に富と権力が集中するのを防」ぐことができるように、「データの所有権を統制することが肝心」だろう、という具体的な施策もハラリは示している（同書、一三八頁）。

フクヤマ、サンデル、ハラリそれぞれの論を、以下のようにチャート化しておこう。

興味深いのは、そして本書が注意を促したいのは、現代の知的アリーナを牽引する稀代の知性が、情報技術の行方を政治的な観点から問いただす作業のなかで、それぞれの政治的な方向性は際立って異なるにもかかわらず、三者が三者とも、〈利益／不利益〉という評価軸をはるかに超えて、そもそも人間とはなにか、どのような存在なのかを問わざるをえなかったということだ。あるいは、いまを生きる人間のその生の様態とはどのようなものなのか、どのようなものになるべきなのかを問わざるをえなかったということだ。

そこで、ここではダイアグラム４を示すことで、「情報という問い」に関わる政治的構想論を整理しておきたい。

	ハラリ	サンデル	フクヤマ
政治的主張	自由民主主義 （サピエンスの進化）	美徳（正義） （アリストテレス）	自由民主主義 （近代政治思想史）
参照される技術	バイオメトリックス （神経脳科学＋IT）	バイオテクノロジー （脳神経科学）	バイオテクノロジー （脳神経科学）
救うべき人間性	（自由意志）	政治的動物	近代的合理精神

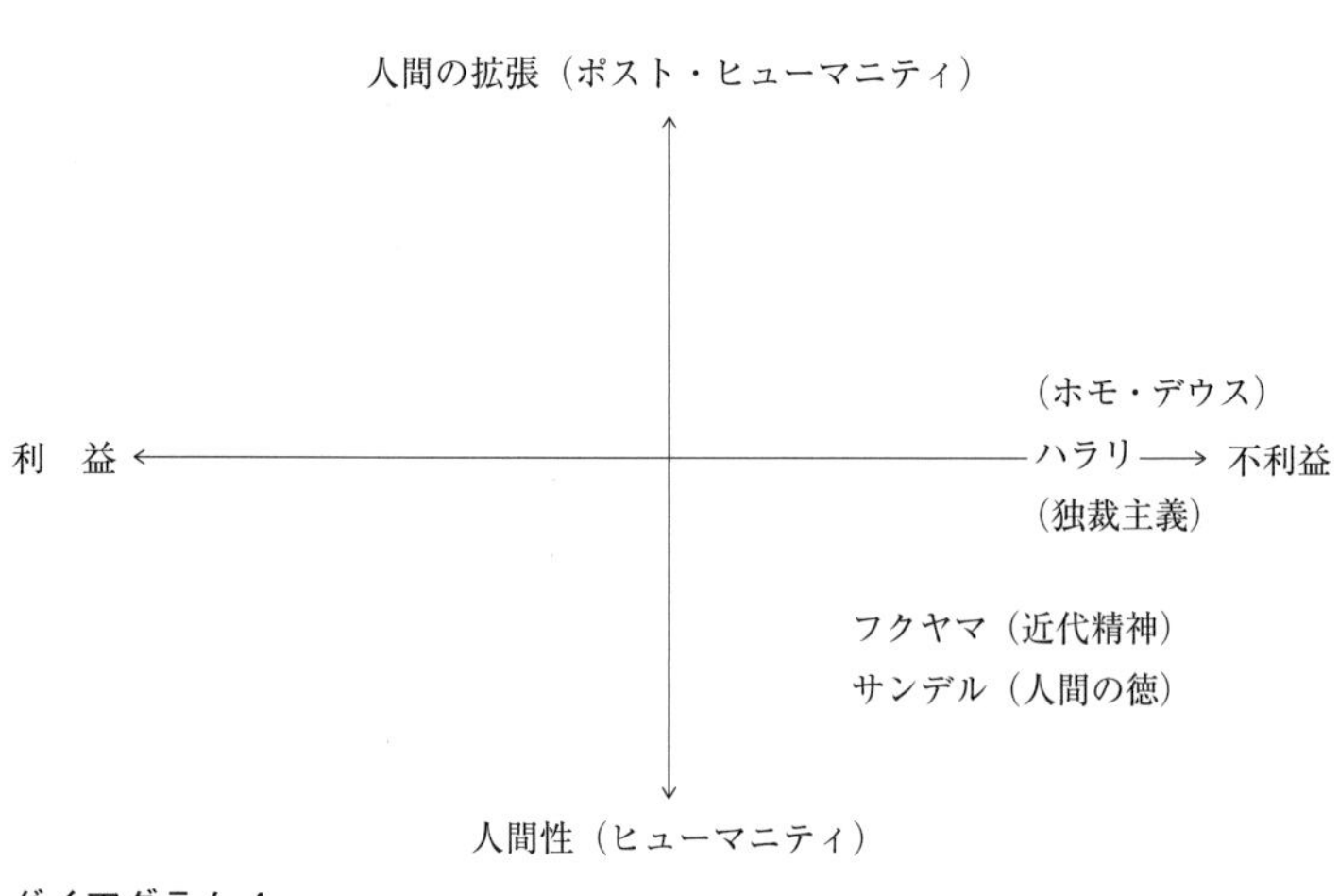

ダイアグラム４

第Ⅱ部 情報哲学の現在

情報は溢れかえっている。情報をめぐる言葉も溢れかえっている。

第Ⅰ部では、そうした言葉の中から二一世紀の情報をめぐる代表的なマクロ的視点の論、いわば大きな構想力を駆動させて展望される思考を概観し、その論点整理を試みた。そこで浮かび上がった光景は、情報を論議する、技術論者、経済学者、政治学者、さらには歴史学者らの言葉は、それぞれの専門分野をはるかに越え出て、哲学的な思考にまで及んでいたというものでもあった。

これを受け第Ⅱ部では、狭い意味での哲学研究それ自体においてなされている、いわば原理論的な思考の代表的なものをとりあげて考察したい。あえていえば、「情報とはなにか」という問いをミクロ的な観点から掘り下げて精査する思考といってもいいだろう。

もう少し言葉を足しておこう。

じつのところ、欧米をはじめ世界中で、情報をめぐる原理論的な考察もまたさまざまに取り組まれており、活発化してきている。イギリスでは、その名も「情報哲学」という分野が生まれ、耳目を集めている。また、ヨーロッパでは、情報化された世界の存立や人間存在の行方をめぐる問いを陰に陽に視界に収めたような一群の新しい思想が勢いを増している。

日本でも、二〇〇〇年前後から社会学者の吉田民人（一九三一—二〇〇九年）が、近代科学において情報なるものの新たな進化によってラディカルな再編制が促されつつあるという主張まで含む、哲学的といっていい深い考察をはじめていたし（吉田 二〇一三）、それを発展的に継承する西垣通が基礎論的探究の仕事『基礎情報学』（西垣 二〇〇四）を刊行している。『岩波講座 哲学』のシリーズでは、二〇〇八年に刊行された第四巻で「知識／情報の哲学」が焦点化されている。

第II部では、そうした情報をめぐるこんにちの思考のうち、もっとも先鋭的な二つをとりあげ、考察したい。イタリア出身であるもののオックスフォード大学を拠点に活躍するルチアーノ・フロリディの情報哲学、そして間違いなくこの分野における日本を代表する研究者である西垣通の基礎情報学である。

第4章　情報の分析哲学

本章がフォーカスするのは、その名も「情報哲学（Philosophy of Information）」と銘打たれた、分析哲学における情報をめぐるメタ理論的な思考である。このアプローチの最も強力な主唱者は、イタリア人ではあるが、主としてイギリスで精力的に活動する哲学者ルチアーノ・フロリディ（一九六四年生）である。すでに数多の論文、いくつもの著作を発表しているフロリディは、産業界や行政でも注目を浴びており、一定程度の発言力をもつにいたっている。彼の論を、その骨格を見通しのよいかたちで再構成することが、本章の眼目である。

フロリディをとりあげる理由は、何よりもまず、デジタル技術に対して、やみくもな拒絶や歓迎を謳うのではなく、デジタル技術に対する合理的な思考を着実に積み上げて、実行可能な理論ツールを提供しているからである。情報社会の行方に対してしかり、ＡＩに対してしかり、だ。たしかに、分析哲学特有の専門用語や語法が駆使され、またこの哲学分野で蓄えられた知見の数々が背景としてあるため、フロリディの論運びを門外漢が追うことは少なからず困難ではある。けれども、彼の著作は一般向けに書かれているものが少なくないので、大枠のところでは、必ずしも専門家ではない視点から理解することもできる。そのかぎりで彼の議論を再構成することとしよう。

分析哲学になじみのない読者には、次の二点だけ、あらかじめ述べておこう。まず分析哲学者がおこなう「分析」とは一般には「概念分析（conceptual analysis）」のことである。それは、こんがらがって意味するところが混乱しているような用語やフレーズについて、それらの用いられ方を論理学などを駆使しながら交通整理していく論究方法だといえる。また、取り扱う対象の代表的モデルが科学的言説であることから、とりわけ自然科学との応答可能性を維持するというミッションが常に意識されている。その点では、科学研究が積み上げる成果には敏感であり、また、自らの議論が科学研究に資する実効性のあるもの――各分野の科学研究プログラムを基礎づけるとか、精緻化する、といった言い方をする――、つまりは実際上の科学研究の遂行に実効性のあるものであることを分析哲学は常に念頭に置いている。

一　第一哲学としての情報哲学

では、フロリディの論をみていこう。

まず、おさえておきたいのは、先にいったような通常の分析哲学理解を一見越えたような、フロリディによる次のような強い主張である。すなわち、情報を扱う哲学は個別分野の探究方法――研究プログラム――を実効性のあるかたちで精緻化するというスケール感のものでは必ずしもないという主張である。むしろ、哲学的探究の中核にある存在そのものを問う知的営為として、アリストテレスに

フロリディ

よって命名された「第一哲学（philosophia prima)」を、こんにちにあって担うものなのだと彼は主張するのである。五つの理由があげられている。

第一に、情報論が関わる知能というものをめぐる考究は、人間のみならず動物の認知能力や言語能力に関わらざるをえないし、それとの関連のなかで人工的な知能の可能性について考究しなければならない。第二に、生命とは何か、行為体（agent）とは何かについての考究もおこなう必要がある。第三に、物理的および概念的システムについて、存在論と呼ばれてきた領域の考究もしなくてはならないだろう。第四に、科学的知識とは何かについての原理的な問いの仕切り直し、すなわち、これまで認識論と呼ばれてきた領域についてのその考究もまた必要である。そして、最後に、情報をめぐる問いは、情報に関わる人間のあり方自体が変容してきていることから、その振る舞いの根拠づけを考察する倫理的な問い、さらには制作行為に関しても根本的な再考が促される以上、美学的な問いも巻き込まざるをえない。もっといえば、情報社会とは何かに関わる課題は心理学から人類学、さらには社会科学に関わる領域を巻き込むことになることも避けがたいだろう（Floridi 2011, p. 16)。このようないくつもの哲学的考究を射程に収める包括的な探究スケールを取らざるをえない以上、情報哲学こそが今日にあっては第一哲学を担う、とフロリディは論陣を張るのである（ibid., p. 24)。

付言しておけば、さらに大きいパースペクティブで、つまり哲学探究の圏域を越えて広く思想史と呼ばれる知の歴史を探る営為においても、情報哲学の重要度の射程は拡がっている、とフロリディは言明する。彼の構想の基底には、ヒューマニズム、つまり人間中心主義が次第に弱まってきているという知の歴史の変遷に関する見立てがあり、それが論立ての大きなバックボーンになっている。コペルニクスの地動説、ダーウィンの進化論、フロイトの精神分析と、順次、人間の自己理解は世界における自らのポジショニングを弱めてきた、という広い意味での知の実践の変遷についての把捉があり、それらに続くものとしてアラン・チューリング（一九一二―五四年）による万能機械の理論モデル化がある、というのだ。すなわち、こんにち各方面で進行する情報化が生ぜしめている革命的といっていいほどの数多くの大規模な変容に関わってその端緒となった理論モデル化がとにもかくにもまずあると考えるのである（フロリディ 二〇一七、第四章。また、Floridi 2010, pp. 8-18）。

話が大ぶりになりすぎたかもしれない。だが、フロリディによる情報哲学では、同時に、情報なるものへのミクロな視点からの理論的考察もじつに周到に練り上げられている。哲学の名を冠しつつ、世界理解について大ぶりな仕方で独自の構想やビジョンを声高に謳うだけの通俗的な抽象論に終始しているのではない。彼の哲学的議論の醍醐味は、構想の大きさよりも、むしろそれを支えるミクロな議論の積み上げにこそある。

二　機械情報の振る舞いを把捉するための情報概念の再定義

情報とは何かをめぐる問いを、機械が扱う情報（以下、「機械情報」と呼ぼう）から捉えることを主たる軸とするのが、フロリディの構えである。もう少しいえば、生体情報まで処理可能な情報化が実現したこんにちにあって、往々にして見受けられるような、心身問題を含め、思考とモノとの関係をシャッフルする意気込みが前のめりになった論に対しては、安易な反デカルト主義として違和感を隠そうとしない。あくまで近代における合理主義、懐疑主義の伝統のなかで、機械情報に関する自らの哲学的思考をすすめようとする向きが強いのである。そうした着想から、彼は情報の定義をまず根本からしっかりととりおこなおうとする。

ではあるものの、「情報」という語は、コンピュータの基本モデルを考案したとされている人たちにさえ、混乱を招きよせるほど多義的な相貌をもっていることをフロリディは認める。たとえば、クロード・シャノン自身が情報の救いようのない多義性を嘆いていたことに随所で言及してもいる（Floridi 2010, pp. 1-2; 2011, p. 81）。だが、「概念分析」を「概念工学（conceptual engineering）」といい換えることさえ厭わないフロリディは、ひるむことなく、この難題に独自の仕方で挑むのだ。情報理論ないしはコンピュータ科学者の言に頼るのではなく、あえて哲学的に定義し整理することで、メタ理論的なグランドナラティブを構築しようとするのである。

その企ての核には、データ概念を基礎とし、そこから情報概念を基礎づける、という方法論がある。すなわち、「データによって基礎づけされた（data-based）」かたちでの情報の定義（「情報に関する一般定義（GDI：General Definition of Information)」）をすすめようとするのである。GDIは次のように規定しうるとフロリディはいう。「αが意味論的内容として理解される情報なるものの事例となるのは次の条件を満たすときかつそのときにかぎる」。

GDI１：情報素はｎ個のデータより成る。ただし、$n \geqq 1$。
GDI２：データは適切に論理形式化されている。
GDI３：論理形式の適切性は意味あるものである。(Floridi 2011, p. 84)

ここでいう「意味ある」という条件が、じつはこの定義における鍵となっている。とはいえ、そのことは少しあとにみよう。では、当のデータとは何か。これについては、次のような定義（Dd：Definition of data）をおこなっている。

Dd：データ素とは次のようなXである。
すなわち、ｘとｙが、解釈されていない二つの変項であり、かつそれらの関係およびその領域がさらなる解釈に対して開かれている場合に、ｘとｙが区別される状態。[1] (ibid., p. 85)

詳細はともかく字面だけをみれば、ごく当たり前にも映る情報概念の定義である。けれども、かなり周到に理論構成が練り上げられた定義だといえる。ともかくも、フロリディはこの定義づけをもって、機械が扱うデータを軸にして情報を基礎づけるという手立てを打っているのである。そこに人間による関与は組み込まれていない。とすれば、フロリディがいう「意味ある」とはいったいどういう理解の語であるのだろうか。その一角を浮かび上がらせておこう。

議論をわかりやすくするために、やや迂回しておこう。人間世界に対する情報化のインパクトの大きさを論じたフロリディの『第四の革命』（二〇一四年）に対し、刊行後数ヵ月にして、アメリカの分析哲学者ジョン・サール（一九三二年生）が『ニューヨーク・レビュー・オブ・ブックス』で強い批判をおこなった（Searle 2014）。これにフロリディが再反論をおこない、さらには二人が同席する公開討論まで催される。ちょっとした論争になったのである。

サールがフランス人の哲学者ジャック・デリダ（一九三〇―二〇〇四年）とも論争を繰り広げたことは日本でもよく知られているが、そうした彼らしい手つきで、人間の心的活動はそう容易くデジタル技術の作用をうけることはないという論を張り、フロリディに嚙み付いたのだ。チューリング・テストを中国語をかませてカスタマイズした、よく知られている自らの思考実験モデル――ごく簡単に言えば、中国語を解さない人物にマニュアルに則った書き加えの指令だけ与え、彼が書き加えたメモを返却させる場合、そこで生じていることは正しい中国語のやりとりではあっても、当の人物が中国語の文を理解している必要はまったくない、という思考実験――をここでも活用したのだ。そして、チューリングマシン、すなわちコンピュータが可能なのは、統語論的な規則に則った情報処理の水準でしかなく、フロリディには情報概念の混乱がある、とサールは批判する。人間の存立、そして世界の存立には原理的に意味作用の次元が関わる以上、コンピュータとは本質的に異なる働きをもつ。それゆえ、人間存在のあり方や世界了解のあり方の根源にまでデジタル技術の影響が届くかのような論を展開するフロリディには根本的な疑義がある、と難じたのである。

どちらに軍配があがったのか、あるいは軍配があがるべきかという問いはさしあたりおくとして、ここで注意を引いておきたいのは、サールには、意味作用の存立の独自性を擁護することによって、それと本質的に連関するとされる人間的なるものを半ば形而上学的に擁護しようとする向きがあることと、他方、そうした向きについてはフロリディはサールほど強くないことである。むしろ、フロリディにあっては、人間と世界の双方に押し寄せている情報化の度合いに対する危惧の念が、サールよりもかえって強いのかもしれない（フロリディは、サールとの公開討論で「人間は、自然界のグリッチに過ぎないかもしれない」と述べている）。

サールの議論において前景化したのは、情報化された環境の時代にあっては、次のような人間と機械に関する、意味作用の根拠づけに関わる哲学的な腑分けの有効性をめぐる理論的態度の違いがあるということである。

コンピュータが扱うもの＝記号規則的なもの
(syntactics：従来「統語論」と訳されているが、人間言語のトーンに引き寄せ過ぎかもしれない)
人間が用いる自然言語＝意味作用の次元
(semantics：従来「意味論」と訳されているが、意味内容より意味作用に関わる点が強調されている)

これに対してフロリディによる情報概念の定義づけに戻っていうならば、情報は「意味ある」仕方で形式化されているデータより成るものという定義は、統語論、すなわち記号間の規則にハードに沿って意味なるものを措定しようとする考えである。あらかじめサール的な批判、すなわち人間なるものの作用に軸足を置く意味作用論の次元の捨象という批判をうまく回避する理論的な措置になっているということだ。意味作用の審級と、人間の経験という場で生じる解釈の審級をしっかりと区分けした上で、前者に必ずしも人間が関与する必要はない、という論をフロリディは立てているのである。「意味」の意味の変更、すなわち人間主義でない次元での意味作用を認める立場である。データというものは、それがデータであり、また何らかの情報になるためには、「意味ある」仕方ですでに存立している必要がある、というフレーズもそういったかぎりで解しておくべきものなのだ。

であるので、コンピュータという情報処理機械の意味作用は、人間がなす情報処理の意味作用と必ずしも一致する必要がない、という理論的帰結もまた生むことになる。別の側面からみてみよう。

三　情報技術を再定義し、情報化された環境における生の条件を問う

デジタル情報がコミュニケーションの水準を越えて多様化し、さらには拡散している現代にあっては、わたしたちは「インフォスフィア（情報圏）」に取り囲まれ、わたしたちの存在の仕方そのものも、いわばサイボーグならぬインフォーグという観点から考えた方がよいのではないか――フロリデ

ィはあちこちでそう主張している。いいかえれば、すでに環境となった情報ネットワークの中にわたしたちの生があると、彼は強めに見切っているのだ。もちろん、ある意味では、情報のネットワークは太古より存在しているものである。だが、空間的には脱場所化（delocalized）され、時間的には共時化（synchronized）され、さらにはなんらかのかたちで相互に関係づけられた（interrelated）度合いをかくも進展させた情報ネットワークは、これまでの歴史には存在しなかった（Floridi 2010, pp. 17-18）。それは、いったいどのような事態なのか。フロリディは、その問いを考察するための論をどう組み立てていくのか。[2] もう少しみておこう。

先に定義されたようなデータなるものは、機械での取り扱いが可能なように符号化され、しかるべき仕方（アルゴリズム）でしかるべき処理が施される。これを下敷きにして、フロリディは技術に対する理解にも再定式化を施す。彼によると、情報という観点からは、技術は三段階に区別して考えることができる（Floridi 2014, pp. 25-34／三三―四四頁。以下、訳は筆者による）。

技術というものの一般的な働きは、それを使うエージェントと、そこから生じる、あてこまれた対象（別のエージェント）とに「効力が与えられること（prompt）」から成り立っている、とフロリディは理論モデルをまず考える。フロリディとは用語は異なるものの、いま現在システム設計の分野では、出力に関わるデバイスは、単にアウトプットを出す働きだけでなく、外界に効力を与える働きをより重視し、効果器（effector）やアクチュエータと呼ばれていることを横目でみておこう。すなわち、

エージェント　↑　技術　↓　プロンプター（prompter）

というもので、フロリディによる機械情報のモデル化図式である。この理念モデルが、三つの段階を経て、三つのモデルに具現化されてきている、と彼は論じるのである。

第一機序（first order）の技術は、エージェントが人間であり、自然界に存在する何かがプロンプターである段階で、そのとき技術はそれらの間にあって作用するものとなる。鋤、車輪、傘といったものだ。第二機序（second order）の技術は、ユーザーは人間であるとしても、プロンプターはもはや自然界にあるものではなく、別の技術になる段階であるという。ネジを巻くネジ回しであったり、鍵穴に入れられる鍵であったりするが、最も代表的な第二機序の技術は、別の技術に対してエネルギーを供給する動力エンジンだろう、とフロリディはいう。整理すると、次のようになるだろう。

第一機序の技術：人間　↑　技術　↓　自然
第二機序の技術：人間　↑　技術　↓　技術

では、情報技術はどのようなものといえるのか。フロリディは、それは第三機序（third order）の技術のカテゴリーに入るものであり、それはエージェントも技術であり、プロンプターも技術であるような機序の技術だという。すなわち、技術が技術を動かして、さらに別の技術に作用を及ぼすような、そのような機序で作動するのである。そしてそのとき、わたしたち人間は三つの技術の間がなす

作用の外側に位置することになる。すなわち、

第三機序の技術：技術　↑　技術　↓　技術

である。

解釈という人間的関与を捨象した情報概念の定義づけを、ここでも思い出しておこう。データ処理の機械（第三機序）が中心となって、第一機序の技術や第二機序の技術が円滑に連結されていくとき、人間の意識的な操作の審級を省略したかたちで作動する環境が生まれることになる。機械が意味あるかたちで作動していることと、人間がそれを解釈することは、互いに遠く隔てられていくのである。そうした事態をフロリディはクリアに描き出しえているといっていいだろう。

ＩｏＴ（Internet of Things）を思いうかべるまでもなく、この第三機序の技術、すなわち技術と技術の間にあって作動しうるものとして、情報技術は捉えられている。情報が環境になった段階を技術論的に捉えると、このようになるだろう、ということだ。

おそらくはこうした論の方向と呼応しているのだろう、情報技術自体の歴史的展開についてもフロリディは次のように整理して、デジタル技術によるコンピュータの特質を同定しようとしている。

情報通信技術（ICTs）というのは、主として記録作業を執りおこなうシステムから――書写や写本作成――、通信システムへと、とりわけグーテンベルクと印刷機発明の後に展開し――（デ

ータ）処理とその産出に関わるシステムへと展開していった。（Floridi 2010, p. 4）

次にみておきたいのは、こうした技術理解を踏まえて、情報化された環境がすでに到来しているといえるこんにち、認識論的な問いはどう設定できるのか、という問いに対するフロリディの回答である。

四　知能（インテリジェンス）とは何かを再定義する

まず、本書としては次のことを確認しておきたい。「人工知能（ＡＩ：Artificial Intelligence）とは何か」をめぐっては多くの期待と不安が交錯しているが、正直なところ、手間をかけて刊行されている文章ですら、ＡＩなるものの輪郭を十分に汲み取った上でなされているのか定かではない。ＡＩを成立せしめている情報技術論上の定義や説明のことをいっているのでは必ずしもない。人工的な知能という言葉で何がいいあらわされているのか、何が目指されているのか、どのような働きが目論まれて設計され、いかなる場に実装されようとしているのか、といったことについて、一般の読者にはおよそ理解がしがたい具合なのだ。極端な場合、人間的な知能活動が機械によって上手に代替されていくことになるという強力な楽観論、あるいはまた、そうした人間の知能が機械に取って代わられてしまうのではないかという激しい悲観論が声高に謳われるのが現状である。

ＡＩは果たして、人間の知能を超えてしまうのだろうか。本書冒頭でも言及したカーツワイルなどは、ＡＩが人間を凌駕する知能へと成長する歴史的な時点を、「歴史的特異点（シンギュラリティ）」として位置づけ、それは二〇四五年あたりであると予測して、ジャーナリズムを賑わせた。しかしながら、フロリディによれば、そうした不安ないし期待は、ややミスリーディングなものである。ＡＩの今後の展開についてフロリディもまた危惧を感じているようではあるが、何に対してどのような危惧を感じているのかが、カーツワイルのそれとは似て非なるもののようなのだ。

フロリディは、ＡＩについてもまた、右で見たような情報概念のデータ論的アプローチでもって見通しのよい議論を展開しているということだ。人間にとって、いったいいま何が問題なのかを浮かび上がらせようとしているのである。

フロリディの論立てを振り返っておこう。コンピュータなどの情報機械は、原理的にいって、符号化された情報、つまりは機械が取り扱うことのできる情報を、その機械の仕組みに沿って処理するという以上のものでも以下のものでもない。〈解釈されていないものとしてのデータ→機械処理可能な符号としての情報〉という捉え方は、そのように理解されたコンピュータの振る舞いに、かなりうまく適合している。哲学的な用語でいい換えれば、計算機であるコンピュータ（compute の原義は「計算する」である）は、徹頭徹尾、統語論的（シンタックス）であるだろう。そうすることで、わたしたち人間が生きる世界と、そうした情報が何らかの結びつきを持つことは、経験上の解釈の次元の話だとすれば、別途考察すべき問題として一定程度留保しておくことができるのである。

こうした議論を出発点として、ＡＩをめぐる論議に一定程度の指針を提示することができる、とフロリディは考えるのである。

ＡＩなるものについて、彼は二つの種類を分けている。簡単にいえば、人間知能による実践のその一部を「再産出する（reproduce）」ものと、人間知能による実践そのものを「産出する（produce）」とするものである。フロリディによれば、いま現在、成果を収めているのは前者であり、必ずしも後者ではない。そして、右でみたような彼の情報概念の定義をふまえても、前者の方がより実現性や有効性が高いという判断があるようだ。どういうことか（Floridi 2014, pp. 135-143／一九四―二〇七頁）。

ここでは、実際のＡＩ開発の設計モデルにも言及せざるをえないので、少し開発論に踏み込んでみておこう。人間知能を産出しようとするものは概ね記号計算主義的なＡＩモデルと呼ばれており、他方、人間知能を部分的に再産出しようとするものは学習型コンピューティングと呼ばれるＡＩモデルにほぼ対応している。前者は、よく知られている通り、一九五六年のダートマス会議で提唱されたもので、符号化した記号を（ブール代数に沿った論理回路をもって）計算する計算機としてのコンピュータのあり方を踏まえて、その情報処理の仕組みを人間の知能の情報処理にできるだけ近似させるべくアルゴリズムを精緻化していこうとするプロジェクトである、といっていいだろう。

他方、後者の方は、一九六〇年代後半にウォーレン・マカロック（一八九八―一九六九年）とウォルター・ピッツ（一九二三―六九年）によって提起された、機械自体が課題解決に向けて学習していくという脳神経反応を、人工的に模倣したパーセプトロンという仕組みの研究開発プログラムが代表例である。記号計算主義型ＡＩモデルのようにアルゴリズムを設定していくという方向とは異なって、人間活動の実態のなかで実践されている個別具体的な課題に対して、その実態においてデータの検知をおこない、そのデータをもとにパーセプトロンが自ら学習しながらその課題の解決にあたっていく、というモデルとなる。これはいったん勢いを減じたものの、パーセプトロンの多層化――これがゆえにdeepというので、ときになされる「深層学習」という訳語にはやや疑念が残る――によって、与えられた課題に向けての解決のアウトプットの精度が格段に向上することがわかってから、一気に息を吹き返したのがこんにちの状況である。近年、その有効性が強く主張されているディィープラーニング型ＡＩのことだ。

フロリディによると、注意しておくべきは、このディープラーニング型のＡＩモデルは、したがって具体的な人間活動の一部を代替する仕方で情報処理が自動化されていくフォーマットになっている、という点である。人間知能をまるごと代替するような――『２００１年宇宙の旅』におけるＨＡＬのような、といってもいいかもしれない――人工的な知能体が目指されているわけではないのだ。まずもって前提として、人間によって課題解決がなされる具体的な活動実践があらかじめ確定されていて、それを再産出することが企図されているのである。

フロリディが好んで用いる比喩をつかえば、皿洗いに関して、それをそのまままるごと引き受けるロボット型ＡＩ――『スター・ウォーズ』に登場するＣ‐３ＰＯのようなロボット――を開発し、社会に実装させるようなことを人類史はおこなわなかったのだ。そうではなく、皿洗いと同じ活動実践を別種のセッティングで再産出する食洗機というマシンを考案し、社会に実装したのである。最初の機械学習型ＡＩマシンのひとつと呼ばれている現実的なＡＩは、その理念において、Ｃ‐３ＰＯ型ではなく、食洗機開発のような発想を採用すべきであろう、というのがフロリディの考えである。

　このことが指し示す哲学的な含意は大きい。いわゆる「フレーム問題（frame problem）」と「記号接地問題（symbol grounding problem）」に対する一定程度の解決案を示唆するからである。

「フレーム問題」とは、単純化すれば、こういうものだ。人間知能による認知的記号処理は、その記号が関わる具体的な状況に依存する。つまり、解釈は文脈依存性があってこそなされるという基底的な性質が、人間の認知能力に固有のものとしてあり、もし記号の意味作用がその意味での解釈と同値であるなら、そうした文脈から独立したコンピュータの情報処理能力では、それを代替することはできないということになる。

　だが、この問題は、フロリディによれば、回避することができるものだ。先にみたように、これは環境世界に対してデータがどう関わっているかという観点における意味作用の水準と、人間がその身体において経験する文脈の場の水準を混同していることから生じる問題にほかならないからである。コンピュータは、その物質的組成、すなわちそれ特有の身体において、センシングをおこない、データ処理をおこない、それをアクチュエータを通して、行為へと推進（prompt）する。それだけであって、それ以上でも以下でもない。ただ、そのかぎりにおいて、人間の知能活動の一部を代替して再産出することができるのである。

　フロリディにならうなら、「記号接地問題」についても同じく合理的なかたちで解決することができる。この問題は、フレーム問題と近いもので、自然言語とは異なって世界に足を降ろしていない（本質的に接続していない）人工言語なり人工記号なりを、いかにして人間世界の地に足がついた（接地した）ものにすることができるのかという問題である。これも、フレーム問題と同じように、人間の知能を過度にモデル化することでは解決できない、とフロリディはいう。いわゆる認知科学の研究プログラムでは解決できないだろう、とさえいっている。そうではなく、コンピュータが取り扱うデータ——上記のような仕方でフロリディが定義した意味でのデータ、そしてそれによって形成される情報——は、その物的ありようにおいて、それ固有の仕方で意味作用をおこなっているだけであり、それ以上でも以下でもない。であるので、それが人間の知能（認知型データ処理といってもよい）とは異なるという主張によって、機械情報は自然言語にはなりえない、という論運びをおこなうのはミスリーディングである。コンピュータのデータ処理は、意味作用の物的文脈が人間のそれと単に異なっているだけなのであり、それ独自の仕方で接地しているのである。

しかし、ここではＡＩに関わるフロリディの議論をもう少し踏み込んでみておく必要がある。右でみたような、機械情報と人間情報はその物的文脈が異なることから、その知能のあり方まで異なるであろう、という主張だけでは、機械と人間は違うものだということしか述べておらず、それより先のことはほとんど空想といっていい期待値になりかねないからである。いい方を換えるなら、素朴なＡＩ批判の主張を機械の側に立って裏返しに述べただけだとさえいえる。論じられるべきは、その先の論点がいえるかどうかである。もっといえば、機械と人間の物的文脈の違いという前提のもとで、ＡＩの今後のあり方について、その設計に関わる方向を示すことができるかどうか、である。科学との応答可能性を自負する分析哲学なら、これは避けて通れない課題だろう。

じつのところ、フロリディはＡＩについてかなり掘り下げた議論を展開している。

先にみたＡＩの設計理念に関わる区分けに加え、フロリディは記号接地問題を考察するために、別の角度から種類分けを試みている。すなわち、データ処理の仕組みを知能なるものに接近させることに関わって、分類概念や目標概念なども含めた抽象概念、すなわち概念表象をどこまで取り入れるかという観点から、ＡＩ設計のモデルに対するアプローチを三つに分けるのである。表象主義と、半表象主義、さらに非表象主義の三つのアプローチに、である（ちなみに、ここでいう「表象」とは記号なるものが、なんらかの実在物の「(代理）表象」をしているという意味でのそれである）。

第一のものは、積極的に知能というにふさわしいデータ処理をおこなうためには、概念表象のあらかじめの設計が不可欠である、というアプローチである。しかし、このアプローチでは、人間（プログラマ）があらかじめそのアルゴリズムの中核を外部的に設計するに等しく、これは人間知能と同じように近い自動的なデータ処理をおこなっているとはいいがたい。ロン・サンが企てた「クラリオン」プロジェクトのように、たとえ物的文脈への依存という特性を現象学（ハイデガー）的な「世界内存在」の考えを採用し解消することで、志向性を張り付かせた表象という設定を基軸に置くとしても、である。これもまた、概念表象を外部から注入するという点では変わりはなく、知能機能を外部から設定することになるもので、フロリディの評価は低い。

第二のアプローチは、物質組成の差異について、より自覚的であるもので、畢竟、概念表象に関わる記号を物理的に具現化することを目指すものである。ポール・ヴォグトなどの試みがその代表だが、これはチャールズ・サンダース・パース（一八三九―一九一四年）の記号論（semiotics）――すなわち、インデックス、イコン、シンボルという、解釈者に対して段階的に記号上の抽象化の度合いを強めることに着眼する論――を援用することが多くなる。だが、容易に推察できるように、そしてパース自身が認めていたように、これは解釈者自身にとっての記号作用の水準の捉え方なので、ＡＩマシンがどのようにそれを扱うのかは未定である。翻っていえば、物理的に接地された概念表象の記号をそれと認めるのは、それを書き込む人間（システム設計者）ということになってしまうのである。

　第三のアプローチは、概念表象にはまったく依存しない設計を謳うものである。冒頭でも触れたロボット型自動運転掃除機の設計をおこなった気鋭のロボティックス研究者ロドニー・ブルックス（一九五四年生）の論がその代表といえる。ではあるのだが、フロリディは、じつはブルックスの論立てを必ずしも評価していない。というのも、人間の心理機能をその行動から発生したものとする行動主義的心理学をモデルにしすぎているきらいがあり、畢竟、なんらかの（機械の）行動から（人間と同じように）自動的に意味作用が形成してくるとするのは過剰な期待だといえるからである。

　これらを踏まえ、フロリディが唱えるのは、機械の振る舞いから意味生成がどのように形成されてくるのかについて、二セットのマシンから成るＡＩに可能性をみる方向である。その前段階の理論的準備として、彼はＡＩないしコンピュータは一般に、いつもすでに「（身）体化されている(embodied)」あるいは「状況に組み込まれている(situated)」という物的文脈を独特の仕方で捉える。単純化を怖れずにいえば、そこには未だ記号ではないものの、記号化を誘発するようなデータ群が立ち現れるというのだ。彼が「行為による意味形成(action-based semantics)」という考えを提案するときに見込まれているのは、そうした意味が出来上がる一歩手前で、しかしその形成に向けて作動しはじめるデータ検知と処理、そして出力をおこなうコンピュータ・マシンの属性である。そのマシンから発された出力データを、いまひとつのコンピュータ・マシンが検知し、そのパターン認識をすすめる。そのやり取りの繰り返しのなかで、徐々にわたしたちが記号と呼ぶにふさわしい何かが出来上がっていくだろうという。マシンとマシンが次第に記号的なものに向かって抽象化していくプロセスにこそ期待するモデルなのである。

詳細には分け入らず強引に要約すれば、フロリディの提案の骨子は以上のようなものである。行動主義心理学の影響が強い「行動」という用語ではなく、人間的な圏域からよりニュートラルな「行為」という用語を選んでいるのも、そのためだ。さらに注意しよう。フロリディの論では、情報が関わる意味作用は多様であり、したがって情報がなす実在も多様である——彼は、自らの考える情報存在論は、デジタルという観念を過度に作動させて、一元化した実在を唱える立場とは異なる、とも論じている（Floridi 2011, pp. 316-338）。情報がなす実在の間の相互作用は、したがって多岐にわたり、一元的に捉えうるものではない。そういう前提が、ここにはある。

こうした論立ては、先にみたフロリディの技術論と重ね合わされるとき、情報化された環境の時代における存在論、つまり世界の存在形式への見立てが、さらに繰り上げられたものとなるだろう。要するに、この時代において、わたしたちが直面している問題は、技術がいつか人間を凌駕するのではないかという問題ではない。そうではなく、人間が関わるインフォスフィアのいかなる部分を機械にどのように代替させるのかという問題をどこまで人間知性（intellect）で見極めることができるのか、という問題なのだ。インフォスフィアを成り立たしめている実在は多岐にわたるからである。

フロリディによるこれらの主張が導くのは、「シンギュラリティ」をめぐる論議は「憶測」の域を出ないものであり、その無効性は自明である、という主張だ。「シンギュラリティ」を強く唱える力ーツワイルの立論は、「人間の知能レベルに到達するために必要なコンピューティングとメモリの量を分析し、二〇年以内に廉価なコンピュータで、その水準に到達できると自信をもって言える」（カーツワイル 二〇一六、八四頁）という言葉に端的にあらわれているように、大枠のところでは、人間の脳の計算処理速度がCPU周辺の関連デバイスが指数関数的に発展する複合機械としてのコンピュータの計算処理速度に追い抜かれる、という論点が中心になっている。すでにわたしたちがみたように、そもそもコンピュータとは何か、計算とは何か、情報とは、データとは……と基礎論的な考察を掘り下げたフロリディからしてみれば、こうした主張はあまりに素朴な議論ということになる。

フロリディは、良質な分析哲学者らしく、シンプルな発想をつきつめ、諸問題に合理的な手立てを施しながら、社会において実効性のある結論を引き出そうと丁寧に議論を積み上げている。とはいえ、これもまた良質な分析哲学者の一部がそうであるように、そうした議論から導き出される主張は、かなり鋭利なもので、こういってよければポレミカルでさえある。そこが分析哲学の思考の面白いところだ。その一端を浮き彫りにできたのであれば、本章の目的は果たしたといえる。

情報を哲学する近年の思考は、フロリディが提唱する狭い意味での情報哲学だけではない。フロリディの哲学的思考をより周到に吟味するためにも、そうした別の道筋で鍛え上げられつつあるメタ理論的な思考をとりあげ、それとの比較検討をおこなう必要があるだろう。

第5章　情報の基礎づけ

前章では、主として分析哲学者ルチアーノ・フロリディのアプローチをとりあげ、データという概念を基軸にして情報なるものとその軌道を基礎づける彼の論考について、そのあらましをみた。フロリディのアプローチでは、逆説的にも、情報なるものは、それを処理する機械の物質性を避けがたく視野に収めなければ概念化できないものであるという論点が導き出され、その論点を踏まえて人工知能の研究プログラムの理論的フレームワークは精査されなくてはならないとされた。本章では、これと対照的なアプローチをとりあげたい。

見通しを記しておけば、情報なるものをデータという単位概念の精査からはじめるのではなく、むしろ、それがもともと由って来る、その発生の場から出発するアプローチをここではとりあげたい。データ、別言すれば機械が処理するものとは何か、という観点から基礎づけるのではなく、機械が処理することになる情報なるものは、いったいどこからやってきたものなのか、という問いを出発点として情報を基礎づけようとするアプローチである。このアプローチに関しては、日本における知の系譜が興味深い思考を練り上げてきた向きが強い。本章では、現時点でのその到達点のひとつといえる西垣通の基礎情報学の考え方を中心に検討を試みたい。

一　生命情報、社会情報、機械情報

二一世紀に入って少しばかり経った二〇〇四年、西垣通は『基礎情報学』を刊行する。その著において西垣は、情報なるものをいま問おうとするなら、一種の「基礎学」が要請されるべきだろう、と提言している。なぜなら、という。情報技術は前世紀のはじめに生まれ、中頃よりコンピュータ開発が矢継ぎ早に展開し、つづいてインターネットが構築され、それに触発されたネットワーク技術が重ね合わされてこんにちにいたっている。それは情報化が単なる計算作業の場面にとどまらず、世の中の隅々にまで浸透しつつあるということを示しているだろう。だが、情報とは何かを問う段になると、なんら「社会的合意」が成立していない。未だ専門家の間でさえ「つぎはぎ」の仕方で推移している。学術界にあっても、情報化はいまや科学や工学だけでなく人文社会科学にまで及んでいるはずなのに、それらの間に理論上有効なかけ橋がかけられているとはとてもいえない。こうした状況に鑑みるとき、情報に関わる分野に属するひとびとの間で、その思考の「基層」となる共通理解が築かれてしかるべきではないか――そうした動機をもって、西垣は「基礎情報学」を打ち立てると宣言するのである。

その基礎学には、二つの問いへの応接が求められる、と西垣はつづけている。

（1）情報の意味作用はいかにして生まれるのか。
（2）情報の意味はいかにして社会的に共有され、社会的リアリティを形成するのか。（西垣 二〇〇四、八頁）

西垣の基礎情報学は、「情報」を論じるにあたって、その「意味」を問うのだ。「意味」という語がかなり強調されて記されていることのラディカルさは見逃されてはならない。一般に、通常の（代表的にはシャノン＝ウィーバーの）情報技術論においては、機械による情報処理は「意味の捨象」が前提とされる。であるからこそ、情報の機械的伝達の精度を上げることを本意とすることで、デジタル通信技術はかくも発展を遂げてきた。それと真っ向から対抗して、基礎情報学はその「意味作用」を考察の俎上に載せるというのだ。さらには、それが関わる「社会」との関係のあり方についても問うというのだ。シャノンをはじめとするこれまでの情報理論に根底から挑戦するという構えがここにはある。そして、前章でみたフロリディとのコントラストという点でも大切な論点だろう。後年書かれる『続 基礎情報学』（二〇〇八年）では、よりはっきりと、こう明言されることになる。「情報（information）とは生物にとっての「意味作用を起こすもの」であり、「意味構造を形成するもの」だ、と。さらには、「「意味（significance）」との結びつきを捨象しては真の情報学となりえない」とまで述べられている（西垣 二〇〇八、三頁）。

まずおさえておこう。狭義の技術決定論とは異なる観点が、ここには明確にある。情報なるものは、その圏域を技術開発の場を超えて、社会のなかで、もっといえば世界の拡がりのなかで推移させ

西垣通

ている、という実態を重く受けとめる姿勢だ。そうでなければ、情報技術が次々と、しかも今日にあっては生活環境の隅々にまで実装されている状況を考えるとき、当の情報技術業界は、その社会への関わりについて、その価値意識や倫理観も含めた社会の未来像に関わる提言をなんら実効的に組み立てることができないだろう。広く諸科学全般にわたる共通理解が必要であり、西垣はそうしたものになりうる「社会的合意」を目指したいというのである（西垣 二〇〇四、三―五頁）。

そうした狙いから、広く知られることになる西垣独自の道具立てとして「三種類の情報概念」が用意され、理論化されることになる。「生命情報」、「社会情報」、「機械情報」である。西垣独自の理論の中枢をなす用語なので、順にみていくことにしたい。

先に述べたところから推し量ると、情報なるものの「社会的リアリティ」の形成へと自らの大題目を掲げていると映りかねないのだが、西垣は、やや意外な方向から「基礎情報学」の論を組み立てていく。「社会」とは真反対のようにも映る「生命」への注視を促すのである。

まず、情報とは本来すべて「生命情報（life information）」であり、これが第一の情報である。〔…〕ＤＮＡ／ＲＮＡの遺伝情報に限らず、生物にとって「意味」のあるものはすべて生命情報であ

り、体内の代謝をつかさどる代謝情報、免疫情報、知覚器官に入ってくる神経情報などもふくまれる。(同書、二〇一―二〇二頁)

気持ちのいいほどの言明だ。基礎情報学は「生命情報」から打ち立てる、と明言しているからである。

二一世紀を生きるわたしたちは、情報と聞けば、デジタル機器を通してわたしたちに届けられるもの、あるいはわたしたちが送り出すもの、と考えがちである。だが、そうした今日の「常識」とは異なるテーゼが打ち出されるのだ。西垣はつぎのように言い切る。「われわれヒト社会において、インターネットなどの伝播メディア上で流通しているデジタル情報も、本来は生命情報から発したものに他ならない」。「生命情報」を出発点にしてこそ、「デジタル情報」も、それが何であるかの要諦をしっかり見定めることができるというのだ。一種の汎「生命情報」主義が展開されているのである。であるならば、「生命情報」は、どのような具合に「デジタル情報」へと移り変わっていくのか。それが明らかにされなければならない。

こう論はつづいていく。狭い意味での生命情報は、いわば「原‐情報」というべきものに過ぎない。それは「そのままでは基礎情報学の直接の対象とはならない」だろう。それに加えて、「ヒトの観察／記述という行為」を通してはじめて、つまりは「観察者が観察し、抽出し、外部の伝播メディア上に記述すること」によってようやく、わたしたちが日ごろ自分たちの住む社会でやりとりをする情報、すなわち「社会情報(social information)」と呼ばれうるものが生起するという。そうした、いわば生成変化は、次のように説明されもする。生命情報が「ヒトによって取り出され」る。それが「言語をはじめヒト特有のシンボルで記述された」ものが「社会情報」なのだ、と。西垣はいう。それが人間の住まう社会で流通する「狭義の「情報」」なのだ（同書、二〇二―二〇三頁）。

社会情報を語るにあたって二つのレベルが重なり合っていることに西垣は慎重である。ヒトの個体レベルと人の社会レベルの重なり合いだ。いわゆる「日常的情報（popular information）」には、個人のレベルでは「個人差などによる意味解釈のズレ」がいかんともし難く生じるのが実情であり、他方では、しかし「クイズの解答、実験の測定値、株価、試合の勝敗など」といった類いの情報は「前提が明確で社会的に共有されているという特徴をもつ」はずだ。後者にあっては、「前提を共有させ意味解釈を斉一にする社会的メカニズム」が作動しているだろう（同書、二〇四頁）。この「社会的メカニズム」は、西垣基礎情報学において重要な位置を占めている。なぜなら、それが作動していることで「生命情報」と「社会情報」に加えて第三の情報概念の導入が可能になるからである――それが「機械情報」である。

「機械情報」とは、いかなるものか。

> 情報は情報工学／情報科学によって洗練された知的概念となった。しかし、そこでの情報の扱いは機械的・形式的なものであり、したがって、情報工学／情報科学における情報、より端的にはＩＴの操作対象となる情報は、本書において「機械情報（mechanical information）」として位置づけられる。（同書、一三頁）

「ITの操作対象となる情報」とは、きわめて限定的な意味合いでの情報だろう。もっといえば、社会情報のなかでさえ特定化された情報だと西垣はいう。「機械的・形式的」という形容句は、機械情報の定義づけに関わる限定句なのだ。一般に、通常の（たとえばシャノン＝ウィーバーの）情報技術論では、機械による情報処理は「意味の捨象」が前提とされる。それは、ごく普通の社会生活で、なんらかの意味が込められて送り出される、あるいは引き出される日常の「情報」とは異なったものとされるのだ。西垣においては、つぎのようにも説明されるだろう。「機械情報」は、

効率的処理のために社会情報が変換されたもので、当初は日常的情報の効率的伝達のために用いられた。効率的伝達が可能になるには、信号の意味解釈が送信者と受信者のあいだであらかじめ共有されていなくてはならない。狼煙（のろし）のようなシステムでも電子的ネットワークでも、この点は同様である。（同書、二〇四頁）

繰り返しになるが、情報を伝送する通信技術理論――シャノン＝ウィーバーがその典型だろう――には、原則として情報の意味内容の解釈作用については取り扱わないという前提がある。情報通信技術の発展は、それを捨象してきたからこそ目覚ましい発展を遂げてきたとさえいえる。情報に関わる通信技術は、伝送形式の水準だけを取り扱ってきたのだ。

西垣は、それをより広い歴史的パースペクティブのなかで捉え直そうとする。つまり、表現形式だ

部（in）に形成（form）されるもの」だと西垣はいう。言葉を足して「加えられる刺激と生命体とのあいだの「関係概念」である」ともいっている（西垣 二〇〇四、二六頁）。だが、これだけでは、それこそあまりの抽象度の高さに、読むものは立ちすくんでしまうかもしれない。思い出そう。生命情報は「原 - 情報」にすぎなかったはずだ。西垣は、それと呼応させて、次のような情報に関する定義を示す。

情報とは、「それによって生物がパターンをつくりだすパターン（a pattern by which a living thing generates paterns）」である。（同書、二七頁）

一見シンプルに映るこの定義は、けれども入れ子構造にも自己言及にもみえ、その意図するところを容易に解するのはむずかしい。この定義の言わんとすることは何なのか。理論化の細部をしっかり摑みとっておくためにも、ていねいに考察しておく必要がある。

西垣自身、この定義を補強するために、三つの理論ツールを用意している。先の三つの情報概念、「生命情報」、「社会情報」、「機械情報」を縦糸とするなら、これら三つの理論ツールを横糸にして、西垣情報理論は織り上げられている。

第一に、情報の「意味」は、一般に解釈者によって異なる。したがって、解釈者／受信者を等閑視して情報を議論することはできないが、解釈者／受信者は常に「生物」である。第二に、生物

> はオートポイエティック・システムであり、刺激ないし環境変化に応じ、あくまで自分自身の構成にもとづいて自ら内部変容を続ける。その変容作用こそが意味作用である。したがって情報に関するこういった「自己言及＝自己回帰」的な性質を明示しなくてはならない。第三に、意味作用を喚起する「刺激」や、それによって生じる「変容」の本質は、物質でもエネルギーでもない。それは「形」であり、「パターン」である。これら三点から、次のような情報の定義がみちびかれる。（同書、二六―二七頁）

キーワードでいえば、「解釈」ないし「観察」、「オートポイエーシス」、「パターン」となる。これらには各々に特徴のある理論的な組み立てがほどこされている。ひとつずつ、みておこう。

まず、なぜ「観察」なのか。生命情報に端を発し、ヒト社会において固有の仕方で立ち現れる社会情報、さらにそこから抽出され、機械が処理する機械情報――それらの生成変化のプロセスを推しすすめる契機となっているのが、観察という行為である。そういっておくことができる。たとえば、先にみたとおり、西垣は「原‐情報」という概念を導入することで、生命現象における情報と、ヒト社会で流通する情報に関わる存在論的身分の区別を整備していた。この次第を西垣はつぎのようにも説明している。「実はいかなる生命体も、観察者／記述者が不在ならば情報学の対象になりえない」。したがって、「生物的な次元の情報（生命情報）からヒト社会に通用する次元の情報（社会情報）が生成される過程に注目しなくてはならない」だろう（同書、七二頁）。

生命情報は「そのままでは」生命体の裡に閉じ込められたままであり、ヒト社会で通用する情報にはなりえない。「それはあくまで潜在的・原基的な情報にすぎない」からだ。西垣がこの次元にとどまっている情報を「原‐情報」と名づけたのは、そのためである。いい換えれば、「われわれヒトが観察し、われわれのシンボル体系（言語など）で明確に記述して初めて、原‐情報は真の「情報」となる」ということだ（同書、七三頁）。そうした観察され、記述されるという契機を経たものを、西垣は狭義の「情報」——「原‐情報」とは区別されるところの——として定義するのである。「情報」とは区別されるところの、ヒト社会で循環するこの「狭義の情報」、西垣はそれを「社会情報」ともいい換えるだろう。「広義の情報とは「生命情報」であり、そのなかの一部は「社会情報（狭義の情報）」に転換されるものの、残りの大部分は原‐情報のままにとどまる」といわれるとき、含意されているのは、こうした区別である（同頁）。

だが、この理論構成について十全に理解するためには、先にチェックした西垣による第二の理論ツールである「オートポイエーシス」の彼による取り扱いをみておく必要がある。その取り扱いを適切に捉えるには、自然科学にかかわる一種のパラダイム転換を視野に収めて理論化がなされていることに留意しておいた方がよい。西垣は、一八〜一九世紀の「生気論」は「有機構成（organization）」によって乗り越えられたとする。というのも、その理論的な精緻化がおこなわれてオートポイエーシス論——なかでも、河本英夫（一九五三年生）の「システム論」——が生み出されており、自身もそれに依拠するという。そして、オートポイエーシス論の理論的展開への周到な目配せをしっかりと利かせながら、自分がどう依拠するのかについて、より具体的に論じていくのである。

こういうことだ。第一世代のオートポイエーシス論では、「動的平衡システム」、物質やエネルギーを外界と交換しながら自己維持あるいはホメオスタシスを実現するシステム、という考え方が基盤にあった。対して第二世代は、「自己組織システム」がその基軸にあった。これは、第一のモデルに加えて、自己自身を形成する機能を備えた、「単純な要素から複雑な秩序」が生成されもする、「創発（emergence）」のメカニズムを織り込むものだった。揺らぎなどの偶然性を契機として取り込む、よりダイナミックな秩序が生み出されていくものだったといえるだろう。容器に入った液体を下部から温めると、熱伝導だけでなく液体の上下での温度差が大きくなって、マクロな対流が生じることが知られている。そうした「散逸構造（dissipative structure）」などを含んだものである。あるいは、マクロな無秩序が、何らかのミクロな「引き込み」現象が生じたあと、動的な秩序生成につながっていくこともしっかりと説明しえていたオートポイエーシス論である。

しかし、西垣が注意を寄せるのは、さらにその先である。

基礎情報学では、河本とは異なり、純粋なオートポイエーシス理論の発展にそった議論の方向はとらない。なぜなら、基礎情報学の分析対象は、オートポイエティック・システム自体というよりむしろ、情報の生成や伝達だからである。（同書、七二頁）

ここで西垣は何をいおうとしているのか。字面だけを読めば、「情報の生成や伝達」という視点を組み入れるというだけのことにもみえるが、はたしてそうだろうか。オートポイエーシス研究の代表的研究者であるウンベルト・マトゥラーナ（一九二八―二〇二一年）とフランシスコ・ヴァレラ（一九四六―二〇〇一年）の言を受けて、西垣は「「オートポイエティック・システム」は閉鎖系であるから、言語的には閉じている」のだという。つまりは「いわゆる「情報伝達」はおこなわれない」わけだが、そうした命題に介入しようとするのである（同書、一〇二頁）。

ここでいう「情報伝達」をめぐる理論的難題は、わかりやすくは「社会システム」、あるいは、より一般的なレベルでは「高次（複合）システム」の生成に関してどのように説明しうるかという点にかかわる。相互作用する二つの有機体である二人のヒトは、それぞれが自律的なシステムだとされるはずだが、それらが連結されて最小限の社会形態となるとき、この複合体はオートポイエティック・システムとみなされうるのかどうか、という問題だ。それが自律性を保持しているのであれば、そもその有機体としての個体であるヒトは自律性がないということになるし、保持していないなら、そもそもシステムとしての社会を考えること自体がナンセンスとなる。つまりは、理論上、階層性を設定しないという河本らを含めて、この問題に関して有効な解を示している者はいないのである。

ここに西垣は独自の解決案を提示するのだ。基礎情報学は階層性を排除しない、と。「複合システムと要素システムのそれぞれの自律性を保持したまま、階層性をみとめ」ることができるというのだ。そして、それを、彼の情報学の核ともいえる「階層的な自律システム」と名づけるのである。バージョンアップされた「構造的カップリング」といってもいい。要諦となるのは「動的な視点の切り替え」のメカニズムだという（同書、一〇七―一〇九頁）。

端的にいえば、観察者がその視点を切り替えることによって、その作用に自律性と階層性を同時にみとめることが可能になるのである。すでにみたように、基礎情報学では、すべてのシステムは「観察者」と一体化している。であるので、自律性の有無も観察者の認知如何にかかわる。だとすれば、観察者が「まず、複合システムを観察し、その自律性を確認し記述する」。次に「視点を切り替え、要素システムを観察して、その自律性を確認し記述する」。そして、これらを繰り返し、その作業を通じて「二つのシステムの作動が安定しており、引き続き自律システムとみとめられるならば」、先の理論上の困難は乗り越えられるのではないか、というのだ（同書、一〇七―一〇八頁）。

西垣はこのように論を整え、観察という行為のダイナミックな理論的位置づけによってオートポイエーシスをラディカルにバージョンアップするのである。だが、観察とは、具体的にはどのような行為として解されているのか、具体的に考えておかなくてはならない。

ここで西垣が前提としている世界なるものの捉え方について確認しておくべきだろう。生物学者ヤーコプ・フォン・ユクスキュル（一八六四―一九四四年）が論じた「環世界（Umwelt）」をとりあげて、西垣は自らの世界組成についての見方を説明している。ユクスキュルは、生物は種ごとに生きられる世界のあり方を別にする、という一種の生物学的な主観主義を唱えた――ハイデガーが引いたことから、今日にいたるまで、そして筆者の印象では特に日本でよく言及される生物学者である。「生命体が食物を探したり、敵を避けるなど多様な行為をおこなうとき、環世界はその生命体に即した「反応」を返してよこす」。「この「反応」は生態心理学であれば「アフォーダンス」であり、情報の一種である」だろう。つまり、「環世界からの反応は生命体ごとに異なる」のであり、「情報の意味解釈は種ごとに違うのだ」。西垣は、これに次のようにつづけている。

> 生物の体は、環世界が与える反応に適合するように形成されている。反応にまったく規則性がなければ、生命体は行為の結果を予測できず、死滅してしまうであろう。ただしその一方で、思いがけない幸運ということもある。環世界からの反応は常に予測どおりではなく、偶然性が支配していると解釈される部分は残るのだ。そして、自然法則とは、われわれを取り巻く環世界が与える反応の規則性を延長拡大したものととらえることができるであろう。（同書、五六頁）

西垣の立論の根元には、世界の定位は生物を軸に捉えられているという判断があるのだ。生物はその種ごとに環世界を生きている、というユクスキュルの言に依拠するのは、そのためだ。別言すれば、西垣が問う情報が蠢（うごめ）く世界とは、生物によって生きられた世界にほかならない。先にも触れた西垣による一種の汎生命主義は、そうした世界の概念化にも関わっている。

その生命主義による世界理解にあっては、前章でもとりあげた物理学が前提としてきた自然の斉一性——これが前提となっているがゆえに、自然科学では一般に、帰納法的に見出された法則は自然現象への予測を可能にする——について、より緩やかにした概念化がなされることになる。「自然には習慣化する傾向がある」という哲学者パースの言葉を西垣は引用した上で、加えて、「習慣」は「厳密な規則ではなく、歴史的に形成される、曖昧性をもった規則に他ならない」というのだ。そして、基礎情報学は「自然界を貫く客観的・絶対的な法則ではなく、生命体が身体内に取り込んで形成していく、解釈の余地を残した規則性に注目する」というのである（同書、五五—五六頁）。

その上で、つぎのようにいう。

生命体が情報（パターン）を受信するということは、生命体を取り巻く環世界のなかに「意味」が立ち現われることに等しい。それは外から既成のパターンが与えられることではない。解釈者との「関係」において、意味をもつパターンである情報が出現するのである。これはバクテリアの増殖からヒトの言語解釈にいたるまで、基本的に同一である。（同書、六一―六二頁）

ここで論じられていることこそが、第三の理論ツール、すなわち「パターン」である。生命現象におけるパターン形成をヒトがさらにパターンとして記述する、先の入れ子構造の情報概念の定義は、さしあたりそのように読んでおくことができるだろう。

けれども、だ。この定義に関わって、なおこの「パターン」なるものは、階層的自律性のアクロバティックな定義と連動して、その形式化の抽象度が高すぎるようにもみえるかもしれない。だが、それは角度を変えてみれば、もしかすると相当程度ラディカルな理論的インパクトをもつものかもしれないということだ。もっといえば、大きな哲学的論議を誘い込むことになりかねないのだ。本章では、その理論的位置づけをめぐる哲学的な理論化の磁力にこそ焦点をあてたい。というのも、そうした磁力を西垣情報学がその探究の軌道それ自体において自覚しているからである。それはひいては、今日の情報をめぐる理論化の作業が、いかに哲学的な思考そのものに介入せざるをえないかの端的な証左になっているようにもみえるのである。

三　情報学が揺さぶる哲学的思考

ここまでの概略では、西垣の基礎情報学を、主として二〇〇四年の刊行物である『基礎情報学』を参照しながらみてきた。この基礎情報学は、情報学としての基礎論であるにとどまらず、理論化の深度が深い。次に本章が注目するのは、その点である。その哲学的射程は、相当程度に広く深いものかもしれないからだ。もしかすると、当時の西垣自身の予測を越えて強度のあるものだったかもしれず、二〇〇四年の著作ではそれほど目立っていなかった「哲学」という語の使用や、哲学史への言及が後年には頻出するようになる。自身の情報学がもつ存在論上の意義、認識論上の意義について、二〇〇八年刊行の『続 基礎情報学』では捉え返しを始めている。それを手はじめにみておこう。

まずは、安易な認知主義が真正面から批判されている。「世界を認知する」という言い方は、「精確には正し」くない、と。少し嚙み砕いて、こうつづけている。「所与の物理的な実体としての世界が客観的に存在し」ているという前提のもと、そこから「顕在的あるいは潜在的に存在している情報を取り出すことが認知行為である」という考えが「流布」しているが、それは「まったくの誤りである」という（西垣二〇〇八、七―八頁）。

これに重ねて、認知主義の一部と連動することの多い「表象主義」についても厳しい批判の態度をとる。「古典的な認知科学に代表される表象主義を、基礎情報学は批判することになる」と。なぜならば、「表象主義においては、客観的に存在する実体世界のありさまを、表象の体系によって記述できると考えられている」が、それは正しくないからだ。「ヒトの意識によってとらえられ、明示的に言語表現された対象から織り上げられた」表象が「いつのまにか「(客観的)世界」に等値されているにすぎない」。ひいては「記述した結果をコンピュータに記憶し、適切な論理操作をほどこせば、ヒトの知能活動を人工的に実現できると信じる」のも、したがって「正しくない」のである(同頁)。

認知主義批判と表象主義批判、これら二つをとってみても、西垣情報学がもつ基礎論的構えは、哲学的な議論を呼び起こすに十分な射程の拡がりをもつ。これらの批判の俎上に載せられているのは、そもそも世界とは何であり、それに関わる主体とはどういうものなのか、という問いに関わるものだからだ。情報について考える先鋭的な思考は、ここでもまた哲学を揺さぶっている。

西垣自身、強い言葉遣いを用いることをいとわない。「仮にわれわれ人類が消滅したところで、おそらく宇宙には厳然として「何か」が存在するであろう」し、「その「何か」において、おそらく物理的法則が成立しているであろう」。けれども、「その「何か」をわれわれは永遠に知ることができない」のだ(同書、八―九頁)。見誤ってはならない。大ぶりな語り口は、必ずしも大言壮語のコスモロジーを論じているわけではない。この引用につづく文章に注目しよう。

「「何か」の実在を否定するのではなく、「何か」との相互交渉を通じて産出される「世界」のほうに注目すべき」だというのである。

具体的には、生物の行為によって多様な情報(意味)が継続的に発生し、いわばそれらを受け入れる器のようにして世界が立ち現われるのである。ただし、部材から家を建てるように、単位要素である情報から世界が織り上げられるといったイメージは、分かりやすいが必ずしも正しいとは言えない。まず世界ありきではないのである。むしろ、基礎情報学では、情報やそれにともなうダイナミックな現象が興味の主眼であり、世界は第二義的／事後的存在であって、情報の背景にとどまると言ってよいであろう。（同書、一一一―一一二頁）

きわめて動態的な世界の理解がここには示されている。三つ前の引用での「われわれの身体的な行為とともに世界が立ち上がるのである」という一文と色濃く呼応してもいるだろう。「世界」なるもののあやふやさについては、近年日本の知的ジャーナリズムを賑わせているマルクス・ガブリエルまで想起させてしまいかねないほどだ。そして実際、西垣は、自らの存在論が同時代の先鋭的な思想と共振反応を起こしていることに自覚的でもある。

二〇一八年に発表された『AI原論』では、哲学史における自身のポジショニングについて洗い直し、練り上げ、磨きをかける作業がいっそう濃厚である（西垣編 二〇一八に収められた西垣自身が書いた二つの論文のうちのひとつ（第8章）も、思弁的実在論をめぐる基礎情報学の応答である）。とくに後半の章では、二一世紀の思想潮流の先端をいくと評判のクァンタン・メイヤスー（一九六七年生）による思弁的実在論と自らの基礎情報学を向き合わせている。メイヤスーの思弁的実在論は、「実在」物が客観的に存在すると信じる「素朴実在論を暗黙のうちに前提とする現代科学」と、客観と称されるものは実は主観との関係性のうちに現象しているものにすぎないとする「相関主義にもとづく現代哲学」のあいだに横たわる「深い亀裂の解消を示唆」する「挑戦や企図」をもつものだ。それを、情報論においては重く受けとめる仕事であると西垣はいう。とりわけ「ＡＩにおいては、科学技術的な成果が実践面で現代社会の人間生活と深く関連してくるので、この亀裂を放置することは致命的だ」からである。端的には、人間を介することのない汎用ＡＩの機械的知性によってデータ処理がなされ、社会に対して何らかの「判断」がなされる際には、その「正当性の根拠」が問われることになるが、それを思弁的実在論が与えうるかもしれない。というのも、「機械的知性が即自的存在にアクセスし、人間を超えた知的記述や客観的判断をおこなうというＡＩの理念を」人は安易に支持してしまう危うさがあり、それに対して十全な知性の体制を確保しておく必要があるからである（西垣 二〇一八、八一―八五頁）。

抽象度の高い論議という次元で哲学と情報学が対峙しているのではない。そうではなく、ＡＩという情報技術開発の最先端に関係する、すぐれて具体的な課題をめぐる理論的葛藤が浮かび上がっているのだ。西垣は、これに併せて、フレーゲやラッセル以来の二〇世紀分析哲学の記号論理学との対決を改めて真正面から――『基礎情報学』でも『続 基礎情報学』でも一定程度はなされていたが、さらに詳細に――すすめているが、それはその証左だろう。

いましがた引いたような箇所での取り扱いは、断片的で、しかも雑駁なものだ。とはいえ、西垣情報学が抱えもつ認識論的、そして存在論的な含意を照らし出すのは、このあたりからの見極めかもしれないとも思われる。以下では、一歩踏み込んで、そのあたりの整理をひとつの観点から試みておきたい。存在論、そして認識論というフレームで、ほかの情報哲学理論と比べ、いかなる質的特徴を有しているのかを照らし出しておきたいのだ。

西垣の理論としての特質をあきらかにしておくために、本章では、西垣情報学のごく近くにあるいくつかの論考を補助線として活用し、さらなる検討をすすめていきたい。

四　情報論的転回は大文字のパラダイムチェンジか

ひとつには、西垣が自ら明言し、依拠している社会学者・吉田民人の「基礎情報学」である――この名称は吉田がすでに使っていて、西垣はそれを承知の上で、おそらくはその継承を明らかにするために、あえて用いているのだろう。

吉田の立論の背景には、二〇世紀後半あたりから科学的思考の根源的転換が進行している、という判断がある。根源的というのは、その転換の深度が安易なパラダイムチェンジの域を越えるものだからだ。自然界を構成する基本的要素として「物質とエネルギー」を措定し、と同時に、その中心原理として「法則とその論理・数学的構造」を据えつけたものとして、これまでの近代自然科学のパラダイムがまず理解される。それは「大文字の正統派パラダイム」といっていいもので、近代科学において君臨し、ひいては自然諸科学のみならず人文社会科学にも「外挿」されるほどのものだった（吉田二〇一三、三頁）。だが、その磐石とも映る科学基礎論的な足場がこんにちにあっては大きくゆらぎはじめているのではないか、と吉田は疑念を呈する。つまり、二〇世紀中葉よりはじまった分子生物学のめざましい発展、並びにその一種の展開系ともいえる脳科学のめざましい発展のインパクトは、科学知全体を根底から変革するものではないか、と論じるのである。

もちろん、一般には、その新しい知的探究のエンジン設計は、大文字の「正統派パラダイム」への補強とみなされることが多く、吉田もそれは承知しているという。だが、吉田はそうした方向には与しない。そうではなく、控えめにいったとしても、ある種の「小文字の科学革命」が生じたとみなすべきだと論じるのである。吉田はさらに調子を強め、いまや知の世界には「情報論的転回（informatic turn）」が引き起こされているのであり、「大文字の第二次科学革命」さえ生じさせかねなくなっていると主張する（同書、四頁）。

発表当時はデジタル社会の到来の興奮をかき立てたり大仰な提言に映ったりしたかもしれない吉田のこの主張は、けれども二一世紀も明けて四分の一近くが過ぎようとしているいま現在、情報化の進度がツールのレベルを越えてわたしたちの生や環境をまるごと変容させていることをみやるとき、改めて重要性をもつものかもしれないだろう。

いずれにせよ、吉田がいう科学パラダイム上の「情報論的転回」とはいったい何なのか。彼は次のように説明している。まず、生物の本性、また人間の本性においては、それを成り立たせている「根源的要素」として「記号的情報」があると考えるのが、この新パラダイムなのだ、と。それに加えて、生物と人間の本性にあっては、「根源的秩序原理」として「プログラムとその論理・数学的構造」が措定される、そうした知的探究のエンジン設計があるのだという。コントラストを強くしておこう。大文字の正統派パラダイムは物質とエネルギーを根源的要素とし、秩序原理としては法則をその基礎論的な構えにおいていたが、新パラダイムではそれぞれが「記号的情報」と「プログラム」に代替わりしている、そう論じるのである（同頁）。

これを展開させて、哲学理論的にも吉田は新パラダイムを特徴づけようとしている。すなわち、前者には唯物論的自然観があったが、後者には「設計論的自然観」があるのだという（同書、五―六頁）。これに重ねて「新たな科学論は、このように、生命以前の唯物論と生命以後の設計論という二元論的自然哲学に立脚している」と吉田はいっている。いくぶんややこしいこのいい方をパラフレーズして、生命体が関わる手前の自然に関わるものを「正統派パラダイム」とし、生命体が関わる世界に関わる設計論的パラダイムを「新パラダイム」として捉えることができる、ともいう。だが、両者は一元論化することができるだろう。一元論化されたものを自分は「ネオ・パラダイム」と呼び、そのあらましを探究しつつ組み立てたいというのだ。

この区分けと用語を踏まえ、吉田はさらに議論をすすめていく。正統派パラダイムが単に「物質・エネルギーの時空的位置や状態特性」などとしてしか捉えなかったものを、「ネオ・パラダイム」は「物質・エネルギーの時間的・空間的・定性的・定量的なパタン」として捉える、と整理していくのだ。そうした上で、その「パタン」を「最広義の情報」と規定して、近代科学の基礎範疇の一つに格上げするのである（同書、六―七頁）。

ここで吉田は次のような文章さえ書きつけている。構造主義・ポスト構造主義の起源でもある記号学者フェルディナン・ド・ソシュール（一八五七―一九一三年）に端を発する「差異」概念と、自分が用いる「パタン」概念とを、「ともにネオ・パラダイムの根本範疇である」とした上で、「「差異とはパタンの差異であり、パタンとは差異のあるパタンである」という同義語的な規定であると言い切るのである（同書、七―八頁）。もちろん、「遺伝コード」、「神経コード」、「言語コード」、「二進コード」といったもの、つまりは彼がいう「差異＝パタンを生成する情報コード」は「物理科学的自然には存在しない」だろう。だが、それらは「生物科学的・人文社会学的自然にまさに固有のものである」と述べ、吉田は次のようにつづける。

人間を含めて生物にのみ固有の「差異＝パタンを生成する情報コード」が、それぞれの生物にとっての先所与的な「自然」を当該生物にとって独自の「世界」へと転形するのである。分子生物学者が発見した「遺伝的世界」もユクスキュルの「環境世界」（知覚世界と作用世界）もハイデガーの「世界内存在」も、すべてこの「一定の情報コードによる自然から世界へ転形・変換」、すなわち「設計」の産物にほかならない。（同書、九頁）

見較べておこう。吉田理論には、第一に、情報という概念を一分野の基礎概念とするのではなく、諸科学全般の基礎概念であるとする科学基礎論的なパラダイムチェンジの立論がある。第二に、そのなかで「情報」ないし「記号」というもうひとつの基礎概念を、構造主義・ポスト構造主義のフレームを越えて、より生成論的な視点から捉え直そうとする主張がある。第三に、その際に、分子生物学ないし生命科学の成果を重要視しながら、有機論的な水準を視野に収めた論点を軸においている。第四に、そうした生命科学的な基礎論的構えと連動して、「パターン」（吉田の表記は「パタン」だが、後出の議論とも関連してくるので以下、表記を統一して「パターン」としておく）への注目がある。第五に、吉田もまたユクスキュル（また、それを引用するハイデガーの論立て）を積極的に引いている。これらをみれば、西垣理論との間には相当な類似をみてとることができるだろう。

だが、西垣理論の特徴をあぶり出そうとするわたしたちの企図からすれば、向かうべきは西垣と吉田がどこですれ違うかを見極めることである。両者がそれぞれの理論化作業において生物‐生命論的な基礎づけを探究するなかで、存在論的に、あるいは認識論的にどのような理論化を施そうとしたのか、もしくは施さざるをえなかったのか、という点だ。

西垣は『基礎情報学』の注で次のように述べている。

情報をパターンとしてとらえる定義は、吉田民人によって与えられた。吉田は、最広義、広義、狭義、最狭義の四つの定義を与え、それぞれ「パターン」「生命現象に関わるパターン」「人間社会に関するパターン」「人間の伝達・認知行為に関するパターン」としている。日常的情報にとらわれず、広くとらえた着眼であるが、最広義の定義には生命発生以前の「パターン」もふくまれており、実体概念というとらえ方から抜けきってはいない。（西垣二〇〇四、二九頁）

生命発生以前の現象をどの程度まで、逆方向からいえば、生命現象をどの程度まで、その存在論的身分において重要視するかという点に関わって、吉田と西垣の間の微妙な傾きの違いが、ここには見え隠れしている。少し前にみたように、吉田は、パラダイムの命名法にいくぶんややこしさを残していた。伝統的な、つまり物理学を中心に置いた「正統派パラダイム」に対して、新しい、つまり分子生物学がモデルとなった「新パラダイム」を想定せざるをえないいま、二つを統合した「ネオ・パラダイム」のありようを探究するという格好になっていた。それに対して、「生命情報」、「社会情報」、「機械情報」の三つ組を世界組成のダイアグラムとする西垣にあっては一種の汎生命主義が作動していることは、すでにみたとおりである。すなわち、吉田にはまだ残っていた伝統的な科学パラダイムが奉じる物理学的存在論がもつ重要性へのまなざしが、少なくとも表面上は西垣にはない。吉田と西垣の間には、生命現象に関わる存在論的身分の整理において相違が見え隠れするのである。もう少しみておこう。

一見、西垣は生命現象の手前の自然哲学をまるごと切り捨てているようにみえなくもない。だが、それは表面的にすぎる見立てだろう。生命現象の手前における自然――有機物的自然ではなく、無機物の自然、あるいは環世界の手前の自然といってもいい――に関しては認識論上不可知であるという判断を戦術的に採用しているととった方がいい。少し前の引用でも「すべては憶測にとどまる。その「何か」をわれわれは永遠に知ることができない」と述べていた。そこには、存在論上のというよりは、いわばメタ存在論のレベルでの区分け作業があるように思われる。

メタ存在論というのは、分析哲学系の現代存在論でいえば、こういうことだ。世界についての何がしかの（科学的）理論（言説）において、変項を含んだ（量化構造を明示した）述語論理を使って定式化しうるかどうか自体を概念分析的に吟味することになる議論である。特定の理論にかかわってそれを定式化しうるのであれば、変項を満たすものとして存在者のリストアップを可能にするということになるだろうし、場合によっては存在論的身分を拡張して定式化し、虚構的存在なども（物理的存在者とは別の水準になるが）認めることができるということになる（倉田 二〇一七、⑴第二講義を参照）。大陸哲学風にいえば、何が存在しているかを問う以前に、わたしたちが存在について問う形式それ自体を吟味する、ということだ。西垣においても、生命現象の内と外で、存在者について区分けの仕方それ自体を仕切り直す論が立てられているのである。

そのことは、彼のメイヤスーの思弁的実在論への接近にもみてとることができる。感覚作用という生命現象が世界に出来したことは奇跡である、というメイヤスーの言を引用して、感覚作用の手前の自然なり世界なりのありようは、情報論的思考においては不可知の領域のものとなるだろう、と西垣はいう。もっといえば、そのレベルの自然や世界とつきあい得ているのはまったくの「偶発性（contingency）」においてでしかないというメイヤスーの言明――そこから彼のいう、いつなんどき世界存在のカタストロフィー的転換が起きてもおかしくないという、いまひとつの主張にもつながっている――と、西垣の存在論が共鳴するのは、こうしたメタ存在論的な判断のためだろう。丁寧な腑分けが必要である。

五　シグナルの存在論、シンボルの存在論

存在論的に、あるいはメタ存在論的に、という巨視的にすぎるかもしれない論立てを、もう少し下界に下ろしておくことが必要だろう。

吉田に戻ろう。先にみた論展開を、吉田は次のようにまとめている。

大文字のネオ・パラダイムは、近代科学をつぎのように再編成する。まず第一に、伝統的ないわゆる「科学」を、対象の「あるがままの姿を記述・説明・予測」する「認識科学」(cognizing sciences) と再規定した上で、従来曖昧な位置におかれていた物理工学・化学工学・生物工学・社会工学、あるいは人文社会科学領域の政策科学や規範科学などを総括して、対象の「ありたい姿やあるべき姿を計画・説明・評価」する「設計科学」(designing sciences) という新たな科学形態を提案する。(吉田 二〇一三、一〇頁)

伝統的な自然科学は対象を「記述・説明・予測」することを旨とする「認識科学」であり、他方、新しい科学は対象を「計画・説明・評価」する「設計科学」である、と吉田はいう。端的にいえば、吉田がいう新旧二つの科学パラダイムには、世界の存立構造をどう見立てるかについての根本的な相違がある、ということだ。

吉田は「設計科学」をさらに「プログラム科学」といいかえる。けれども、それには二つの方向性があると彼は説明する。

情報科学は新たに「プログラム科学」と規定され、プログラム科学はさらに、シグナル性プログラムを扱うシグナル性プログラム科学またはシグナル性情報科学（主に生物科学）とシンボル性

プログラムを扱うシンボル性プログラム科学またはシンボル性情報科学（人文社会科学）とに二分される。（同書、一〇—一一頁）

吉田の別の言葉を引けば、「生物的世界（生物多様性）を設計・実現するシグナル性の遺伝的プログラム」と「人間的世界（文化的多元性や多文化主義）を設計・実現するシンボル（とりわけ言語）性の文化的プログラム」を分けて考える必要がある、ということである。さらに、「人間個体（脳神経情報機構）と人間集合（間主観的情報機構）の情報交換を支援する「科学技術化されたプログラム」」、すなわち「計算機プログラム」を吉田はこれら二つに付け加えている。要するに、吉田は情報に三つの分類をおこなっているのだ。「シグナル性情報」、「シンボル性情報」、そして「計算機情報」である。

	吉田	西垣
「プログラム科学」	シグナル性プログラム科学	生命情報
	シンボル性プログラム科学	社会情報
	計算機プログラム	機械情報

これら三つのプログラムは、緩やかにはそれぞれ西垣の「生命情報」、「社会情報」、「機械情報」に対応するものかもしれない（同書、二六頁）。だが、三つの水準の扱いが微妙に異なる。

吉田は、これらの間での移行を「記号進化論」という呼称でとりあげ、その形態論的な移行プロセスは最大のテーマである、とまでいっているのだが、それは解明されなくてはならない課題として提示されるにとどまっているようにみえる。畢竟、それは事実として進化してきたのだという自然的展開をなかば肯定しているようなところがある。社会学者の伊藤守（一九五四年生）は、この点に早い時点で注目し、生命体におけるシグナル情報と人間社会におけるシンボル情報がフラットに理論的接合が可能かどうかについて疑念を投げかけていた（正村・新・遠藤・伊藤 二〇一三、二四九―二五〇頁）。感覚器官が受けとめるものは、data / datum のラテン語原語が示すように、与えられたものである。可視光ひとつとってみてもわかるように、波長が感覚受容器でどう受け止められるか、という分子生物学的な水準の話だ。他方、シンボル記号は、すでに人間社会において構造化され、交換され、その意味作用が解釈される社会的水準にある。同じ記号といっても、本質的という言葉を用いたいほどの隔たりがある、異質なものだろう。そう簡単に折り合いがつくものではない。

これは、必ずしも吉田個人の限界というよりも、多くの知性が格闘している、いま現在核となる問題でもある。ディープラーニング型の人工知能が爆発的に注目を集めているのは、センシング技術が発達し、摂取できるデータの量が爆発的に増えていることにも関係している。すなわち、言語において記号化されうる情報のみならず、言語の手前において、物体や生物の間で飛び回る多様な信号が摂取され、データ化されうる段階に入っているのである。ＭＲＩなどはまさしくその先駆といえ、シナプシスの活動が磁気センサでキャッチされて、言語どころか意識の手前の脳の活動がデータ化されるようになって脳科学は飛躍的に発展したのだ。いわゆる分析哲学の自然主義は、その成果に負うところが大きい。クルマの自動運転技術で用いられる物体認識についても、画像解析に供される視覚データが一気に拡張したことが大きく貢献しているだろう。こうした水準での、つまりは人間の意識活動の手前の環境世界へのデジタル技術の実装がいっきに拡がっているのだ。

この点に直結するシグナル性記号からシンボル性記号への移行プロセスもどのように理論的に整理するのかは、したがってこんにちにあって最も重要なトピックであり、多くの論者がさまざまなアプローチを繰り広げ、激しく論議しているものだ。認知科学では「記号接地問題」として精力的に取り組まれている問題系であり、これは前章でも言及した。あるいは、記号学者パースがあちこちで再び召喚されて、彼の「インデックス」、「イコン」、「シンボル」という三つのカテゴリーが持ち出され、その進化、その形態変化として捉えられることも少なくない。とはいえ、まるで「インデックス」（信号）→「イコン」（パターン）→「シンボル」（記号）と自然に移行していくかのような議論がせいぜいであり、およそ解決をみているとはいいがたい。前章でとりあげたように、フロリディにとってもこのあたりは課題だったが、彼はデータ基礎論的な論法で、パース的なアプローチを含めて疑似問題として周到に回避する決着の仕方を提示して、頭ひとつ抜き出た感がある。

西垣もまた、その移行プロセスにどう理論化をおこなうかに関わって、独自の理論上の精緻化を施したといえるかもしれない。その点をしっかりとあぶり出しておこう。

そのために、ここでは理論化作業の系譜学的掘り下げという手段をとりたい。ひとつには、吉田が強く依拠し、西垣にも間接的に流れ込んでいると思われる渡辺慧（一九一〇―九三年）の論を補助線として考察する。ふたつには、西垣が強く依拠する生物学者ジェスパー・ホフマイヤー（一九四二―二〇一九年）の論も補助線として考察しよう。そうすることで、西垣と吉田の間にある違い、生命現象の存在論的身分についての異なる立場について、もう一歩踏み込んで見極めておきたいのである。

生物に関わる現象、すなわち生命に関わる現象において、シグナル性をめぐる問題系に「パターン」という概念で吉田がアプローチする着想のひとつの源泉は、渡辺慧の『認識とパタン』（一九七八年）にあるようだ（たとえば、吉田 二〇一三、一三〇頁）[1]。この著作の頃、あるいはそれより先立つ段階で、渡辺は一九七〇年代に、機械情報を視野に収めた統一科学知の地平を探ろうとしている。それだけでも驚愕に値するが、その際の基礎論的な根底に「「すべて」はパターン」（原文では「パタン」なのだが、ここでもまた、表記を統一するために「パターン」とする）であるという存在論的テーゼを打ち出しているのである（渡辺 一九七八、一五頁）。この渡辺の著作で提示されているのは、パターンなるものをめぐる「科学的・哲学的な文脈」であり、科学哲学的な基礎論の試みといっていい（同書、i頁）。

そうした観点からの論立ては、人間による認識作用から生物一般の感覚器官の作用、さらにはコンピュータによるデータ処理までカバーする統一的な原理論を構築しようとする狙いのものだといっておくことができる。認識行為ないしは感覚器官の作用がそうしたパターン形成を担うとする観点は、翻って、パターンを形成する作用として認識ないしは感覚の挙動を捉えうるという論点へと展開している。

これは、渡辺ののちの著作『知るということ』（一九八六年）では、より明瞭に謳われていて、次のように述べられることになる。

元来、認識論というものは、認識されるもの（もの自体？）と認識する主体のもつ認識内容にどういう関係があるかということや、認識にどれほどの信頼性があるのかということを論ずるのが１つの使命である、という見方も成立するわけです。しかしそういう人間の外にある直接経験の対象にならないもの、「実在的物質」とか、個々の客体とか、実体とかいうのを科学の対象にするのは〔…〕諦めて、２つ以上の見地とか、理論とか、意見とかに橋渡しをする「変換規則」こそが、それらの見解の裏に実在する「もの自体」であるというふうに考えれば、認識論を認識学に進化させるのには認識学的相対論に立脚せざるを得ないということになりましょう。（渡辺二〇一一、六頁）

この著作の冒頭でデカルトの「我考う、故に我在り」を転用して「我感ず、故に我在り」といってのける渡辺にとって、認識作用においてはとりわけ感覚が重要視される。「多に一を見る」、すなわちパターン形成が、そうした感覚（と知覚）作用の核となっている、という点に重きを置いているからである。それは、カントのカテゴリー論などの能動的知覚の重要視から、ブレンターノやフッサールの志向性論における集中化の論点に至るまで、哲学史においても注視されてきたはずだという。だが、渡辺がひときわ注視するのは、現代の諸科学、とりわけ（生物学への言及があるものの）物理学（量子力学）における観測行為をめぐる論などへの論究である。この著作だけでなく、先の『認識とパタン』においても、一貫して重く参照されるのは物理学的知見であり、いわば観察行為論は観測行為論に包摂されていくのである。

興味深いことに渡辺もまたパース哲学を引いて自らの論につなげているが、彼が言及するのは形式論理学における真理値の取り扱いに関するパースによる独特な取り扱いである。

独特なというのは、二〇世紀前半を席巻し、コンピュータの設計にも流れ込んだ、いわゆる記号論理学の源泉とされるゴットロープ・フレーゲ（一八四八―一九二五年）によるそれとの対比においてである。一般に「われわれの世界の記述がP（a）という形であると」すれば――記号論理学では、これを「命題」と呼ぶ――それが真実のとき数値1と考え、偽であるなら0と考える。けれども、これには二つの解釈があると渡辺はいう。その一つは「フレーゲ流」である。つまり、「aという客体をPという箱の中に入れる。それがその箱の中に入るべきものであれば、1であり、それが箱の外にあるというときには0である。そういうふうな見方」をする考え方である。これに対して「パース流」というべき考え方がある、と渡辺はつづけるのだ。それは「P（a）というのは、aであればPであるというふうに解釈する」。いい換えれば、「aであればPであるか、Pでないか。そのaというのは条件のようなもので、条件が満たされたときにPがほんとうであるかどうかということを」問うている命題だと解する方向である。この命題の真理値が1であればそれが含意されているし、0であればそれが含意されていないという解釈になるのだという（同書、五五―五六頁）。

パース流の考えを、渡辺は「支持する」。それは、「期待度」を真理値に組み込むことができることによって、端的にいえば真理値に関わる確率論的な解釈の可能性をみてとることができるからだ。渡辺は、パース流の考えは「量子力学等に現われてくる」といい、それにつづけて次のように書く。

それはさきほど申しました個物の考えというものに反対しているからです。個物というのはaであるという形で書いてありますから、このaであることにはAというなにか観測が対応している。そういうAを観測する。詳しくいうと、Aというのは今までにその系についていろいろ実験した結果の記録であって、そういう記録があったときにPに関する実験をした場合にどうなるか。それを期待する程度がf（P（a））である。そういうふうに解釈していますが、これはなにも量子論に限ったことではなくて、われわれの被観測物すべてについて言えることで、これはいままでの知識または情報を集めたものをAとして、そういう過去の条件についての知識があったときに、その対象系についてPに関する実験をするとどういう結果がでるか、それを期待する程度はどれほどであるかというものです。そういう立場から、パース流の含意に対する期待度というものが出てくるわけです。（同書、五九―六〇頁）

まず、パースの論理学を物理学よりの考え方に引き寄せて捉えようとしていることは容易にみてとれよう。また、法則性の解明というトーンもかなり強く、「観測」という行為の水準を命題論理――もっといえば、それが前提とする物理学的自然観を軸においた存在論――に組み込もうとする論立もまた明瞭である。渡辺の「認識学」が「2つ以上の見地とか、理論とか、意見とかに橋渡しをする「変換規則」」の解明を目指すゆえんでもあるだろう。

吉田民人の基礎情報学には、こうした渡辺の認識学が流れ込んでいる。先にみたように、吉田の「ネオ・パラダイム」にみられる認識科学と設計科学の二階建て構造を提唱しつつも、他方では、渡辺の認識学に看取されるパターン形成の論理を物理的世界の裡にも看て取りうるという判断にかなり近いものがあるからである。

　これと比べるとき、西垣は生物論的、生命論的な存在理解への傾きが際立っている。それをしっかりとみておくために、補助線として、彼が強く依拠する生物学者ホフマイヤーの生命記号論における認識作用をめぐる存在論的位置づけに注目しよう。渡辺のそれと異なる傾きがあるからだ。

　ホフマイヤーによれば、「生命情報」は「生命体が交換する記号」とみなされ、生命現象においては「空間的な構成」として具現される。それは、「生命体の内部にパターンとして出現し、記憶として構成される」、そういう現象の仕組みであるという。興味深いのは、ホフマイヤーもまた、自らが注視する「生命情報」や「生命体が交換する記号」、すなわち自らの生命論における記号なるものの理論化の作業にあたって、パースの記号学を呼び出していることである。とはいえ、形式論理学上の真理値のパースによる取り扱いに注目する渡辺とは異なって、ホフマイヤーが召喚するのはパースによる「記号過程」の論である。ホフマイヤーの手さばきを少しみてみよう。

「パースは、二項関係、すなわち二つの項を関連づける関係に基づく論理はどんな形式であっても、あまりにも制限がきつ過ぎる、とのすばらしい発見をした」とホフマイヤーはたたえる。それは、そうした論理は一次元の線形でしか展開しないからである。それよりも「分岐」による多次元の論理展開の可能性を確保することによって、いっそうダイナミックな論理学を打ち立てることができるのではないかとパースは考えた、とホフマイヤーはいう。そして、そうした分岐による多次元の論理学の最小単位として三項関係がパースにはある、と論じるのだ。四項関係、五項関係、あるいはそれ以上のものは、すべて「三項関係に分解」できるからである。ホフマイヤーによれば、「このような二項論理から三項論理への移行の波及効果は極めて大きい」。というのも、「私たちが真実だと考えられる推論を描くためには、「誰か」（例えば、観察者）が必ず存在するという事実を認めざるを得なく」なるからである（ホフマイヤー 一九九九、四〇―四二頁）。赤い発疹が出た子どもをみて、母親はその発疹から「病気」を読み取るし、診断をした医者は「はしか」なりを読み取るだろう。そこには記号の成立と解読の行為との本質的な結びつきがあるだろう、そうホフマイヤーはいい、パースの記号論をつぎのようにまとめる。

一般的な例で説明すると、記号は三つの要因の間の関係を表す。（1）第一の記号――記号その物を表すもの――すなわちその意味に関わりなく記号そのものを担うもの（例えば、赤い発疹）、（2）第一の記号（例えば、病気とかはしか）が示す対象（物でも抽象物でもよい）と（3）「解読をするもの」すなわち、第一の記号とその対象の関係を解釈する過程（例えば、医者の頭の中での診断の過程）。パースの枠組みで用いる記号という言葉には、すべてこれらの三つの要素が存在していなければならない。（同書、四三頁）

この点を踏まえた上で、ホフマイヤーは、生殖をはじめとする生命現象の本質として「記号化」ないし「記号過程」があるという（同書、三四頁）。そして、「生命はその全てが記号過程、記号操作に立脚する」とまでいうのだ（同書、五〇頁）。胚発生の場面では、受精卵が遺伝情報（ＤＮＡ）をどう読むかで、個体発生の軌道が定まっていくだろうし、生殖の場面では、種がその生活の状況（生態学的な地位）を遺伝情報（DNA）に書き出していくだろう（同書、四四―四七頁）。

つづけて、ホフマイヤーは、ユクスキュルについても、自然界とは何かという存在論的な問いに関わる仕方で評価をおこなう。

> ユクスキュルに関するかぎり、ある生物にとってのそれに特有の環世界、その主観的な世界は彼の分析のまさに核心にある。〔…〕
> こうすることにより、母なる自然の素晴らしい傑作であるものを、無味乾燥な意味のないガラクタの集合へと還元する機械論的生物学へ攻撃的な論争をしかけた。（同書、九五頁）

要するに、生命の記号過程こそが自然界だというのである。注意しよう。ここにあるユクスキュルは、構造主義的な固定化された世界図式の形成を語るユクスキュルではない。あるいは、機械論的、もっといえば設計論的とさえ言える世界図式を語るユクスキュルでもない。あえていえば、第Ⅲ部で詳述するが、ジェームズ・ギブソン（一九〇四―七九年）らがいう、行動主義的ではあるもののやはり固定化された世界図式を奉じるアフォーダンス論の継承者の一部とも大きく異なったものになっている。ホフマイヤー、そして西垣には、よりダイナミックな生命の蠢きが定位されており、渡辺の位置づけとも吉田の位置づけとも際立ったコントラストをなしているのだ。後者においては、「設計的」という吉田も、パースのものであれ「論理学」という渡辺も、そこで前提とされているのは、行儀よく整えられている秩序的な世界の姿である。吉田よりも渡辺よりもホフマイヤーにより強く依拠する西垣の生命情報学の領野には、シグナルが激しく行き交う、動態性を核とする存在論的次元が組み込まれている。

以上をまとめれば、西垣の基礎情報学の特徴として、次のような点が浮かび上がってくる。

第一に、マクロ的な視座からいえば、まず汎生命主義が独特な存在論を呼び込んでいる。それはメタ存在論的な世界理解を組み立てるものになっており、思弁的実在論などと半ば共鳴し半ば競合する先鋭的なものである。情報が環境になった時代の存在論の更新について、機械情報ではなく生命情報を基軸に置き、畢竟、機械的自然観と異なる、もっといえば人間関与以前の物理的自然（自然の斉一性を前提としないもの――前提とすれば機械的自然観と同じになる）とも異なる、生命活動を核にした世界図式を提示するものになっているのである。

しかも、生命情報への着目は西垣情報学をすぐれて奥深いものとしており、先にみたように、センシング技術が発達し、ディープラーニングが人工知能の実装において爆発的に展開しているこんにちにあっても、言語情報に軸足を置いていた情報理論とは異なって、ビクともしないものになっている。

第二に、ミクロ的な視座に関わるのだが、情報をめぐる概念整理にあたって、分子生物学や生命科学が先端的な科学の地平を拓きつつあるこんにちにあってはなされてしかるべきはずの区分け、シグナル的情報とシンボル的情報の区分けにすぐれて鋭敏に対処している。これは第一の点と呼応するものでもあり、理論的体系性においては、吉田の情報学よりも汎生命主義がいっそう貫かれたものになっているといえる。生命情報を自らの基礎情報学の土台に置くという西垣の意図は、それほどまでに徹底されたものなのである。

フロリディと西垣は、哲学的な思考のベクトルでさまざまに交差し、読む者に刺激的な論点を提示する。

意味なるものを統語論の地平に回収しようとするフロリディと、生命現象の奥行きを重ね合わせようとする西垣は、人間にとって意味なるものをいま再考する際のポイントを与えてくれるだろう。フロリディと西垣はそれぞれの仕方で知能と身体の関係、すなわち情報の時代における心身問題の組み立て方について、再考を促しもする。また、いわゆる存在とは何か、世界のなかで在るということはいかなることかにまで両者の情報理論が斬り込んでいるのも、みてきたとおりだ。

次章では、二人の論考にさらに、別の軸を突き合わせることで、「情報をめぐる問い」のミクロ視点からの哲学的な掘り下げをさらにすすめていきたい。

第6章　人工知能の身体性

第4章ではフロリディの情報哲学、第5章では西垣通の基礎情報学の、それぞれの哲学的思考をみた。本章では、二つを並べたときに、少し斜めの角度からいったいどのような理論的課題が視界に浮上してくるのかを観測してみたい。

またこれは情報論の比較分析の試みでもある。と同時に二つの論の生まれた風土までもを視野に収めるなら、一種の比較文化論的な情報論の相さえ呈してくるかもしれない。そんな大風呂敷を広げなくとも、それぞれがそれぞれにさまざまな哲学的思考を引き込んでいる二つの論を向き合わせるとき、数多の刺激的な問題群が析出されてくることは想像にかたくない。とはいえ、本書としては、突出したかたちでせりあがってくるひとつの哲学的争点に絞り込んで議論をすすめよう。

端的にいえば、人工知能の身体性である。

一　知能は実装されるのか、知能は生成するのか

フロリディは、こう述べていた。

人類史は、皿洗いをそのまま引き受けるロボット型ＡＩを開発し、社会に実装させるのではなく、皿洗いと同じ活動実践を別仕立てで再産出する食洗機を考案した。そのことに典型的にあらわれているように、人間による具体的活動についてはその実効的機能を再産出するという方向で人類の発展はすすんできた。もう少し学術的な言い回しでいえば、環境世界に対するデータの意味作用の水準と、人間身体が経験する文脈の水準は明瞭に区別されるべきであり、畢竟、コンピュータはその特有の身体においてセンシングをおこない、そのデータを処理し、アクチュエータを通して行為に転換する、という側面はたやすく看過できるものではない。コンピュータは、コンピュータの物質的組成＝身体をもってしてはじめて、そしてそのかぎりにおいて人間活動の一部を代替するのだ。あえて繰り返しておけば、論の方向をこのように組み立てることで、フレーム問題や記号接地問題を哲学的というよりも工学的に解決する道筋を示していた。ともかくもおさえておくべきは、コンピュータは、データの取り込み、処理、送り出しにおいて、それ特有の身体（物質的組成）をもつ、という主張である。

もう少し付け加えておくと、この主張からフロリディは、機械の振る舞いから意味生成がどのように形成されてくるのかということこそが探究されるべきだと結論し、自身の立場としては、二セットのマシンから成るＡＩに可能性をみる研究プログラムを提案していた。つまり、コンピュータは一般に、いつもすでに「(身)体化され」ている、ないし「状況に組み込まれた」という物的条件を避け

て通ることができない、としていた。未だ記号ではないものは、機械による「行為による意味形成」を経て、記号化を誘発するようなデータ群として立ち現れる、というわけだ。

つまり、マシンとマシンの相互作用を通して次第に記号的なものへと向かって、抽象化されたシンボルが形成されていく、というプロセスにこそ期待する理論モデルになっているのである。フロリディの論には、機械の身体から区別された抽象化されたデータは実在しない。

西垣の論はどうか。

西垣の基礎情報学には、次のような二つの特徴があった。ひとつにはマクロ的な視座での汎生命主義が独特な存在論を呼び込み、メタ存在論的な世界理解を組み立てることになるという特徴であり、ふたつにはそうした世界理解のもとでミクロ的な視座においてはシグナル的情報とシンボル的情報の区分けの重要性を要請するという特徴である。[1]

ここで確認しておきたいのは、シグナル性記号からシンボル性記号への移行プロセスについては、システム設計という場で積極的に実践的な探究がなされている向きがあったということだ。

そして、そうした実践的な探究はじっさい、研究開発の現場で取り組まれているだろう。

西垣の基礎情報学は、西垣自身が理工系出身であることもあって、その情報工学的な実効性が各方面で共振反応を起こしており、西垣理論を視野に収めた研究開発が実際にすすんでもいる。フロリディと同じく、宙に浮いた思想論議ではなく、現場の指針となる哲学的基礎論になっているのである。

そのひとつが、谷口忠大（一九七八年生）らの記号創発型ロボティックスだろう。

谷口のアプローチは、人工知能をめぐる、しかもディープラーニングも織り込んだ人工知能の可能性と限界を見極める上で貴重なものといえるが、知能にかかわる機械開発にはロボティックスという機械工学が不可分に結びついているとする点に、その際立った特徴がある。と同時に、シグナル性記号とシンボル性記号の折り合い、また記号接地問題ないしパース問題にきわめて自覚的な仕方で、谷口は自らの記号創発型ロボティックスの開発に取り組んでいるのである。

谷口は、その要諦を次のような言葉で言い切っている。

実世界で運動し、感覚するなかで、概念や行動を獲得するという知能について構成論的に接近するためには、少なくとも、情報処理装置と、その情報処理装置と実世界をつなぐセンサ・モータ系が必要である。（谷口 二〇一四、四〇頁）

そして、こう続ける。感覚器官の作動経路はモダリティと呼ばれるが、「私たちは多様なモダリティを通して外部世界に関する感覚情報を得る」。そして、それらの「情報を脳内で統合することによって、世界を認識している」だろう。「人間はこのさまざまなモダリティから得られる情報以外は何一つ入手することができない」のだ（同書、四六頁）。それを「認知的な閉じ」と呼ぶ谷口は、ユクスキュルを参照し、それこそが「環世界」なのだという。

その上で、こう述べるのである。「人間は同じ視覚刺激や聴覚刺激に対しても状況次第で異なる意味付けをするし、また、異なる状況に同一性を見出す」が、それは「極めて言語学的」なものだ。眼が感知している世界の景色に対して「椅子が並んでいる」とか「妻が笑っている」といった具合に認識するときには、感覚刺激をストレートに受け取っているのではなく、「記号的、言語的に」とりおこなっている。「椅子の視覚像が視界に入ってくることと、目の前に椅子があることを認識することは同義ではない」のである。「椅子が目の前にあると認識するためには、椅子の存在を個体として他の背景的な画像情報から切り出して認識する必要があるし、椅子という概念を事前に持っておく必要があるし、椅子という名前を知っている必要がある」（同書、四八頁）。

谷口はここで、かなり哲学的な議論に踏み込んでいる。人間というものは、自ら備える生物としての身体（感覚器官を含む）によって有の環世界をつくりあげ、認知的に閉じていると論じ、感覚器官から得られる情報（生命情報）がストレートに言語的情報に進化したり生成変化したりするわけではないと強調する議論は、感覚と言語と認識にかかわる哲学的な概念整理に分け入っているからである。「私たち人間は自らが閉じた認知の中で構成した概念や解釈の仕方にもとづいて環境情報を読み取っている」のである（同書、四九頁）。

とすれば、だ。機械が扱う知能は、機械の身体に依存することになると結論するのは当然のことだろう。人工知能が扱う情報処理に関しては、その処理作業が真に（＝自律的に）知能と呼ばれうるためには、それが備える情報入力系、情報出力系、すなわちセンサ・モータ系の機械と一体になった地平で了解しないといけないことになる。先に彼が「情報処理装置と実世界をつなぐセンサ・モータ系が必要である」といったのは、そのことにほかならない。

物体概念でさえ、それを担う知能はその身体に強く依存するということになる。そこでは、記号論理学的な名辞概念を用いているかぎり、それは他律的な人工知能にしかいたらないし、近年の脳科学が解明しつつあるように、そもそもわたしたち人間自体がそのように外部注入的にどこかから言語や概念を摂取したわけでもないだろうと谷口はいう。[2] 情報工学研究者である中村友昭と長井隆行らの成果などをあげ、実際の開発現場では人工知能ロボットが物体概念を自発的に形成（複数のタイプの物体群識別）しつつあるのではないか、とまで主張している（同書、六二―八三頁）。

以上に鑑みるに、生命から出発する西垣の基礎情報学（あるいはその影響下にある谷口らの人工知能研究）が、機械処理されるデータ概念において基礎づけられるフロリディの情報哲学と、どこかしら響き合う。アプローチも論構成も異なるのに、帰結において見た目が似通ってしまうのである。

だが、他方では、二台のコンピュータの相互作用が必要だと説くフロリディと、ロボットのなかで情報が記号に生成変化していくことを期待する谷口の論（もしくは、シグナル的情報がシンボル的記号へと生成変化するルートを「観察」の展開に求める西垣の論）は大きくすれ違ってもいる。身体と知能の関係、そして両者と記号（ないし言語）の関係について大きく異なる立場に立っているからである。だが、それは人工知能開発と哲学が接近するもっともスリリングな点かもしれない。

ここでは、狭い意味での両者の比較はいったんおくとして、日本の人工知能の研究開発における、もうひとつの興味深い研究プログラムをとりあげることで、開発研究の現場でこうした身体と知能と記号の関係がもつ哲学的含意を観測しておくことにしたい。

二　ロボットのなかの「知能の誕生」（ピアジェ）

じつのところ、人工知能研究における「知能」概念の練り上げにかかわってロボティックス研究と絡み合いながらなされている展開は、谷口忠大だけにみられるものではない。一九九〇年代に一世を風靡したインテリジェントロボットが近年新たなかたちで再生しているが、その近辺にいる研究者たちが、知能に関する工学的理解を身体と関係づけながらアップデートするという、狭い意味での情報概念にとどまらない方向での理論化の作業がすすんでいる。

そうした研究者集団において、そのキータームは「インテリジェンス・ダイナミクス」と呼ばれる。こうした分野での開発研究に携わる土井利忠（一九四二年生）は、「動的知能」とも訳されるこの用語を「環境との相互作用を通して得た多様で大量な経験を構造化して記憶する能力」と定義している。そこでは「自らの行動と、それに対する外界の反応は、モータ出力とセンサー入力の時系列的なデータとなるが、それを何らかの構造化をして記憶する」という「体験」が重視されることになるという。そして土井は、きわめて興味深いのだが、そうした体験において記憶されていくものを、「ピアジェの発達心理学」を借用して、「シェマ」と呼びたいというのである（土井二〇一二、一四頁）。

ロボットの体験となるために「類似の環境において、適切な行動を計算する基盤になっていなければならない」仕組みが「シェマ」という用語で指し示されているものだ。土井は、それこそが記憶である、と説明している。加えて、それはデータ理論のなかで処理することが可能である、としている。

発達心理学の創始者といわれるジャン・ピアジェ（一八九六―一九八〇年）がここで参照されている。

ることに少なからず驚く向きもあろう。ピアジェは一部の人文学者や社会学者からは、こんにちにいたるまで、人間の心の発達に関する生来的な知能発達論を謳う本質主義者として位置づけられているからである。[3]

むしろ、こんにちのロボット工学で前景化されているのは、ピアジェの知能概念はロボット工学においてこそ接近可能であり、もっといえば生成可能であるという、本質主義者ピアジェを劇的に逆転させて工学的ピアジェとする発想の転換である。

とまれ、どのような考え方になるかについて、次のような文章をまずは挙げておこう。人工知能とロボット工学の絡み合いについて研究する同じ研究者グループの南野活樹は、「人間や機械が知能を発揮するための基本的なダイナミクス（動力学）を探索し、身体を通した環境との相互作用の中から自ら獲得していく知能の実現をめざして、インテリジェンス・ダイナミクス（動的知能学）が提唱された」という（南野 二〇一二、七七頁）。

とはいえ、ここで抽象的に語られる次第は、細かく精緻化されている。まず、一般に計算処理を備えた「システムは、さまざまな計測器を備え、その計測結果に基づく処理プログラムと、そのプログラムの処理結果に基づく応答という形で設計が行われる」が、これを「デザイン型アプローチ」と南野は呼ぶ。ロボットの設計でも、その身体と環境の関係のあり方を事前に想定し、デザイン型アプローチでつくられたものが多かっただろう。それをステージアップさせたのが、先にフロリディの考察においても言及したロドニー・ブルックスである。

「サブサンプション・アーキテクチャー」と呼ばれる自律型ロボットの設計手法をブルックスは考案

した。サブサンプション・アーキテクチャーには、単純な反射行動を多数埋め込まれただけのロボットが環境と相互作用する中で自ら多様な行動を創出する、そのような設計が備わっている。デザイン型アプローチに分類されるが、「身体を通した環境との相互作用の中から知的な行動が出現するという発想」が新たに付け加えられたことの意義は大きい。「旧来の人工知能が、身体から切り離された知能をコンピュータ上に実装しようとしていたのとは対照的」なのだ。とはいえ、「自己を発達させるという考え方」はまだ導き入れられていなかった。「これに対して、「環境との相互作用からロボットが自ら行動を学習し、それらを発達させていく過程に内包される抽象化、シンボル化を実現するためのロボット設計論」が取り組まれている、と南野は日本におけるロボット型の人工知能開発研究の展開を跡づける（同書、七五頁）。そして、こう述べるのである。

インテリジェンス・モデルは、身体を通して環境と相互作用しながら、身体に埋め込まれたセンサーから毎時刻センサー信号を受信すると同時に、身体を駆動するためのモーター信号を送信する。センサーは生物で言えば目や耳に相当し、ロボットの場合は、カメラ、マイク、触覚センサーなどに対応する。また、モーターは筋肉などに相当し、ロボットの場合は、関節に埋め込まれたアクチュエーターや、音を作り出すための音源駆動装置などに対応する。場合によっては、自ら送信するモーター信号さえも、センシングすることでセンサー信号としての役割を果たすことになる。身体と環境が相互作用し、その過程において、センサー信号とモーター信号がインテリジェンス・モデルにおいて相互作用する。そして、インテリジェンス・モデル、身体、環境

は、一体となった力学系として時間発展する。（同書、七九頁）

さて、こうした、ロボットのなかで生成する知能という発想とピアジェはどう呼応するのだろうか。デジタルなピアジェをわたしたちは次にみておくことにしよう。

感覚運動期の理論モデル化

ミスリーディングしないように、断っておこう。ここで扱われるピアジェの心理学は、例えば浅田彰が『構造と力』（一九八三年）で整理したピアジェの人間理解の整理とは異なる。私見によれば、浅田彰のそれは、その元となった論文より数年前に刊行されていたピアジェの『知能の誕生』（一九三六年）の訳書に付された浜田寿美男の解説論文「ピアジェの発達理論の展開」におけるピアジェ理解のラインにある。すなわち、心理学というよりも哲学史的ないし哲学的な人間理解の系譜のなかでピアジェを捉え、位置づけるというラインである。[4]

本論で扱いたいのは、そういったピアジェではなく、むしろミクロ的な視点から、あるいはより内側の視点から捉えられたピアジェであり、それは同じ訳書のもうひとつの解説論文である谷村覚の「記号としてのシェマ」で描き出されたものに近い——実質的には、浜田との協同が背景にあるだろうことは押さえておくべきだが。[5]

谷村は「シェマ」、「同化（assimilation）」、「協応」が『知能の誕生』におけるピアジェの「主要な道具立て」だという（谷村 一九七八、五二六頁）。順にみておくことにしよう。

まずは「シェマ」をみていこう。谷村はいう。「シェマは外的対象に直接かかわるものではなく、「主体内に形成される一定の感覚映像について」のものである。その構成要素は「外的事物から受ける外受容感覚であったり、内臓からの内受容感覚であったり、また動作や姿勢からの自己受容感覚であったりする」だろう。あるいは「これらすべてのアマルガム」こそがシェマをかたちづくる(同書、五一八頁)。

その上で、谷村はこうつづけている。感覚映像は、当該主体の身体的活動と「独立に」ないし「受身的に」構成されるものではないだろう。たとえば視覚映像であれば、「注視や追視の運動に支えられなければ、安定した」ものにはならない。自己受容感覚なども「運動反応に依存する」ことはあきらかである。いいかえれば、ピアジェの理論では、感覚の自足性は否定されているのであって、むしろ「運動反応との一体性や相互依存性」が重視されていることが大切だろう(同頁)。感覚映像と運動反応は、主体の内部において「ひとつの円環的なまとまり」が形成されている。それこそが「シェマ」なのだ(同書、五一九頁)。

このように「シェマ」を捉えたとして、では「同化」はどうなのか。谷村はこう説明している。「シェマが意味の単位として規定できるとすれば、同化は意味付与だと端的に述べることができる」だろう。なんらかの対象なりできごとが、「既知の感覚映像のひとつと同定(同一視)」されるとき、新旧の感覚映像に「同化」が生じているとピアジェはいうのだ、と谷村はいう。だが、これは「同化」の第一の意味にすぎない(同書、五二〇—五二一頁)。

というのも、だ。感覚映像と運動反応はひとつの円環的なまとまりであることを再確認しよう。

ことだ。

「シェマ」は「行動の型であると同時に理解の枠組（カテゴリー）」である。「同化によってシェマが呼び起こされる過程が理解、実行に移される過程が行為」なのだ。とりわけ「感覚運動期」とよばれる言語習得以前の幼児の段階にあっては、「理解と行為は不可分な一体をなして」いる。「理解はつねに動作的概念による理解」なのである。すなわち、「手による理解」とでも呼べるものが、そこでは作動している。別の側面からいえば、行為こそが「つねに対象のカテゴリゼーション」にかかわっているということだ。

しかし、そうだとすれば、ピアジェの理論において、同化なるものは「けっきょく目のまえのものを既知のものと同一視し、同じように扱うことにすぎない」ということになりはしないだろうか。「同化」はいつまでも第一の意味合いのそれにとどまるのではないか。

そうではない。ピアジェの同化には別の意味合いもまた組み込まれている。子どもが新しいものを同化しようとするとき、「シェマをその新しい対象に合わせる」作業をおこなう（同書、五二一頁）。「ものをつかむとき、対象の位置、形状に合わせて手を持っていく方向やつかみ方を変えねばならない」はずなのだ。それはピアジェにおいては「調節」と名づけられている（同書、五二二頁）。これを前提として、シェマ同士の「協応」という作用が引き出されてくるだろう。簡略化していえば、「意味単位どうしを結びつける」という作用である。さしあたり感覚運動期にかぎっていえば、「二つ以上のシェマが協力しあうこと」と理解しておくことができる。これこそが、「単純同化（assimilation simple）」と対比的に用いられるシェマの「相互同化（assimilation réciproque）」だと谷村は整理するのである（同書、五二三頁）。

ピアジェの発達展開のプロセスとしてよく知られている「感覚運動期の六段階」は、「単純同化から相互同化へ、またその逆へと往還運動をくり返している」ものとして理解できるだろうという。いわば「ラセン的発達」をたどるものなのである（同書、五二九頁）。

また「感覚運動期」から「表象的思考の時期」への過程はより丁寧に理解することができる、と谷村はつけ加えている。というのも、そこでは単純な「感覚運動」から単純な「表象的思考」へ、といったように二つの類型が交代劇のように入れ替わるのではなく、第三の類型が立ち現れるのをみてとることができるからである。ピアジェ自身が遅延模倣、象徴的遊び、言語、心像等で記述しようとしている心的働きである。たとえば、自分の口と、なにがしかの入れ物の開いた口を重ね合わせて（表象的に）思考することができる、といった場合だ。それは、シェマ間の相互同化とそれに基づく調節が心のなかで執りおこなわれる「心的結合」が引き起こされているからにほかならないだろう。そして、谷村は、この第三の類型は、『知能の誕生』の時点にあって、ピアジェが《記号的機能》という名称で一括しているものにあたるだろう、というのである（同書、五二六―五二七頁）。

ピアジェの移住

こうした谷村の整理によるピアジェの心的作用の個体発達のプロセスは、先にみた南野の説明する「インテリジェンス・モデル」、「身体、環境が一体となった力学系」に対応するだろうか。ピアジェにおいては「「シェマ」という概念が繰り返し利用され」ていた。なぜか。それは「シェマの機能を土台として」、知能の生成と発達について、より十全に説明できるからである。知能の発達には、言語以前の知能発達、すなわち「感覚運動期」の知能発達のメカニズムの把握が不可欠なのだ。
それを踏まえ、「では、シェマとはいったい何なのか」と問う南野は、インテリジェンス・ダイナミックスを念頭にこうつづけている。

シェマとは、感覚と運動が相互に依存し結合したものである。それは、主体の内部に形成され、身体を通して環境と相互作用するために利用される道具として機能する。また、シェマは静的で固定化されたものではなく、相互作用を通して常に調整が行われる動的なものとして捉えられている。それはあらかじめ与えられるものでもなければ、環境からの圧力によって外界から単に写し取られるものでもない。あくまでも、主体が対象に働きかける中で、主体の内部に構成されていくものとして考えられている。したがってまた、その構成の過程、すなわち主体が環境と相互作用する歴史が重要な意味を持つことになる。〔…〕経験的所与のすべてをシェマに取り組むことによって構造化し、対象を主体に同化すると説明する。同化（assimilation）とは、主体の内部に形成されたシェマによって、環境からの刺激を感覚として取り込むと同時に対応する運動を起こすことである。それは、自分の持つ認知構造に基づいて、自らの尺度で対象を解釈するということにも対応する。ここで認知と行動が不可分なものであるという考え方がシェマという概念に含まれていることがわかる。（南野 二〇一二、八六―八七頁）

その上で、断言するのだ。「ピアジェの研究は人間を対象としたものであるが、シェマの多様化という概念は、ロボットの知能の発現にとっても重要な役割を持つ」と。

シェマによる知能の理解とインテリジェンス・ダイナミクスの類似性はあきらかだと南野はいう。第一に「感覚と運動が依存したものとして記憶され」、第二に「経験を累積的に取り込みながら、ある種の構造を内部に形成するということ。また、その構造に基づき、認識と行動が一体となりながら、環境を解釈し、その環境に適した振る舞いを創出する」だろう。第三に、こうした工程を「繰り返しながら、全体として豊かな構造が形成されていく」だろう。ピアジェの「シェマ」の理論は「インテリジェンス・モデルの実現に大きく貢献するものと期待できる」のだ（同書、八九頁）。

こうしてピアジェはロボットのなかに移住したのである。

ここには、いったいどこで（心の働きのひとつだといわれてきた）知能は働いているのか、という心身問題が浮かんでくる。心と身体を区分けすることを前提とした上で、その関係を考察しようとする心身問題ではなく、心と身体のそれぞれがそもそもいかなる実在的身分をもちえているのかを根本的に再考しなくてはならないという意味合いでの心身問題である。デカルト以前の（もっといえば、デカルト以前の心身図式を謳うものの情動論にとどまっている脳科学者アントニオ・ダマシオ（一九四四年生）のいうデカルト以前よりもさらに遡る）心身をめぐる問いにわたしたちを引きずりこむ、といっておいてもよいだろう。

人工知能とロボットの関係は、哲学を巻き込む深い問題群を形作っているのである。

第Ⅱ部では、フロリディ、西垣の論考から、ピアジェの知能論を活用するロボット工学まで、情報を原理論的に描き出そうとする取り組みをみてきた。それらを並べ合わせるときに炙り出されてくるのは、情報概念の練り上げが、哲学研究が長い年月において練り上げてきた概念や理論と交じり合うさま、であったといえるだろう。

心身問題から意味理論といった個別の哲学的論点から、存在論や形而上学といった大ぶりな論点にいたるまで、まさに第一哲学の領野での問いと接するのだ。情報なるものについて、真正面から真摯に考察しようとする姿勢は、避けがたく、哲学と触れ合ってしまうのだ。

情報を哲学するという気負った構えからの哲学的思惟ではなく、「情報をめぐる問い」に向き合う思考は不可避的に、哲学的探求を呼び込む、そういっておきたい。その一端をここで示しえていたとするなら、第Ⅱ部の目的は果たしたとしておきたい。

第Ⅲ部 情報の実践マニュアル

第Ⅲ部では、「情報という問い」を哲学的に考察することを、わたしたちの日々の暮らしの目線で役に立つ実践マニュアルとして、少なくとも現時点で使える思考ツールとして組み立てることを目指す。

ひとつには、序章で提示していたように、第Ⅰ部のようなマクロ的視点と第Ⅱ部のようなミクロ的視点のあいだにおいて、つまりミドルレンジにおいて接近するための論点を整理しておきたい。ふたつには、わたしたちの日々の暮らしの目線でふだん使いできる道具立てを揃えていきたい。みっつには、わたしたちの日常の思考の駆動において、目の前の課題から一歩退いて、自らの考えを仕切り直したいときに、一定程度役に立つことが見込まれるという意味合いで実効的な仕上がりにしておきたい。これらの企図を第Ⅲ部はもつ。

みっつめの点を少し敷衍しておこう。情報なるものがかたちづくるこんにちのような光景では、「それは、こうでしょう！」と一見わかりやすくみえるスローガンのように言い切ったり、「要するに、こういうことだろ」と咳呵のようなフレーズで裁断したりする場面をみることが少なくない。けれども、そうしたスローガンやフレーズは気休めにとどまっている場合も少なくないし、すぐさま古びたものになってしまうことも多い。ひどいときには（第3章のハラリのところで触れたように）、そうしたスローガン自体がこんにちの情報処理のアルゴリズムの中で（意図的かそうでないかは別としても）あらかじめシミュレートされていたり、誘導の仕掛けにすぎなかったりする。

こうもいえる。第Ⅰ部でとりあげた各論者、第Ⅱ部でとりあげた各論者が組み立てているそれぞれの論には、刺激的で興味をそそる論点がいくつもちりばめられていた。それらを一刀両断にしてしまうような哲学的大風呂敷は、あまり建設的ではないように思われるのだ。なにせ、わたしたちが取り扱っているのは、進行のただなかにあることがらなのだ。むしろ、進行中であることを自覚した上で、変動する振り幅をできるだけ抱え込むような、とはいえ目の前の情報をめぐる課題に斬り込む視角も持ち合わせているような、使える思考ツールをこそ練り上げていくことが必要だろう。むろん、本書にそのような大胆な課題を十全に担う力量はない。それは承知しているのだが、そうした練り上げにチャレンジすることこそが、『情報哲学入門』というタイトルをおこがましくも掲げる本書の狙いにふさわしい役目でもあろう。

たとえば、わたしたちは、第I部において、情報をめぐる構想論の代表的な考えをみた。その作業の中で、考察の際に設定されるべき次のような二つの極からなるスペクトラムとしての有効性の提示を試みた。

《思考のヒント1》個体としての人間 ⇕ 集団としての人間
《思考のヒント2》人間活動の生産力 ⇕ 人間活動の自律性
《思考のヒント3》人間中心主義 ⇕ 非人間主義というパラメータ

あるいはまた、第II部では情報に関わる原理論的な考察をおこなったが、そこでは情報を考える際に不可避的になんらかの立場を決定せざるをえない、これまた振り幅を織り込んだ分析ツールをあぶりだした。

《思考のヒント4》情報にかかわる質的な分類の必要性
《思考のヒント5》情報と物的技術の間の曖昧な関係性
《思考のヒント6》情報にかかわる究明的な世界観／制作的な世界観

以上六つの分析視角は、情報や情報技術をそれなりに論点整理しながら考えようとする際に、一定程度役立つポイントになるのではないか、という自負がすでに本書にはある。以下では、こうしたチャレンジをもっとスケールアップ（拡張）したい、ということである。

第7章　世界のセッティング

一　交差する二つの世界理解図式

第Ⅱ部であぶりだしたことのひとつは、旧来の物理学的な発想による世界理解の図式では現象の究極的な法則性を究明するという世界観（究明的世界観）が前提となっている一方で、情報技術論的な世界理解の図式には、むしろ、世界のかたちは制作していくべきものであるという世界観（制作的世界観）が胚胎されている、ということだった。

これは、ストレートにいえば、世界というものはわたしたちに対してどのようにセッティングされたものなのか、というかなり抜本的な問いを差し出すものといえるのではないか。

実際、筆者も自らの周囲を見渡すとき、世界や社会をデザインするという旨のフレーズを好んで使うＩＴ系のビジネスマンはもとより、若い学生たちの思考には、どう世界に向けて自分をオンさせていくのか、そこまでいかなくとも、自らが蠢（うごめ）く世界に対してどう関与していくのか、という思考が走っている感触をもつときが少なくない。その一方で、二〇二三年の時点では、五〇代以上の知人や友人と話すとき、「社会とはこういうものだ」、「世界はこれこれという仕方で成り立っているんだ」といった断言を興奮して語る場面にいくどとなく遭遇する。そんなとき、若いデジタル派が返すのは、「であるなら、作り直せばいいのではないですか」といった言葉だ。新しい思考モードが台頭しつつあることは、ときに日常の会話でも察知されるのである。そうであるなら、先の二つの世界観の交差も、物理学的な姿勢と工学的な姿勢の対立というアカデミズムの内側での業界的な物差しで片づけてしまうわけにはいかない。すでに一定程度情報化がすすんだ現代世界では、日常においても拡がりと深度をもちはじめている事態かもしれないのだ。

とはいえ、ここでは次のようなタイプの議論に注意を寄せたいわけではない。日常の場面での情景はたとえば社会学的な発想でアプローチすることもできるわけで、右記のような事態はたとえば世代間の違いとして記述し分析することも可能だろう。あるいはまた、心理学的にアプローチして、集団における新しいタイプの心性として分析することも可能だろう。けれども、それらのアプローチの重要性と有益性をいささかも否定するわけではないものの、本書の立論としては、中長期的な視野で考えるとき、そうした仕方ではこぼれ落ちてしまうかもしれない難題もあることに自覚的でありたい。

じっさいのところ、世代間ギャップという次元よりも、制作的世界観と究明的世界観の対立はもっと深い次元のところにある。やっかいなのは、どちらがより妥当な世界図式といえるのかという問いは、そもそもミスリードかもしれないということだ。二つの世界観はせめぎ合いながら、かなり長い間（少なく見積もっても半世紀以上）推移してきているし、これからも二つの世界理解の図式が混淆しながらわたしたちの思考に作用してくるかもしれない[1]。

このことを受けて、まずは次の思考の手立てを示しておきたい。

《思考のヒント7》制作的世界観と究明的世界観の作動を複眼的に捉える。

効果と制御

もう少し踏み込んでおくことにしよう。

第Ⅰ部で扱った、情報が招来させる未来図は、総じていえば、すべて未来を展望する構想論だったわけだが、それは情報技術がもたらす世界のありようを描き出すという格好になっていた。いささか強引にいえば、各々の論は、情報がもたらす効果とはいかなるものか、という角度から未来の世界を描き出してみせるという組み立てになっていた。

これをミクロ視点で捉え直してみよう。まず、情報技術がもたらすというレトリックに透かし彫りされるように、情報の効果という視点には、情報の中味は括弧に入れられたまま、人間の世界でいかなる軌道を描くのかという前提があり、要するにそこには情報の挙動という着眼が横たわっている。情報は、抽出されたり、挿入されたり、動きをともなったりするのだ。マカフィーとブリニョルフソンが肯定的に扱い、ズボフが否定的に扱ったように、そのような情報の挙動は、新たなデータとなって利潤を生ぜしめるような実在物として扱われさえしはじめているのである。

次に、先に述べたことは、こうもいいかえることができる。第Ⅰ部であぶりだした三つの軸――〈個体としての人間　⇕　集団としての人間〉、〈人間活動の生産力　⇕　人間活動の自律性〉、〈人間中心主義　⇕　非人間主義というパラメータ〉という軸も、すべて「情報」の「効果」という観点と結びついているものだろう。対立という言葉ではなく――お望みとあらば、構造主義的な考え方が好んで用いた「二項対立」ではなく――あえて「⇕」というピクトグラムを用いたダイアグラムで示したのは、むしろスペクトラムのような状態遷移として捉えておいた方が適切であろうという判断からである。つまり、情報の挙動は、さまざまな度合いをもって動き、効果を発揮するのである。情報なるレンズを通して世界を見渡すときには、世界は流動的になる、ということだ。情報が発動する世界では動態性の観点が求められる、といってもいい。

《思考のヒント8》 世界は、情報の内容のみならず、情報の「挙動」の観測も重要だ。

この点は、次のような論理的帰結も生じさせるだろう。情報というレンズを思考活動に装着させるとき、それにはいったいどのような効果があるのか、という尺度が濃厚にせり上がってくるのはたしかだ。じっさいのところ、情報なるものが一般的に論じられるとき、各々の情報の中味は（シャノンの意味合いとは別に、もっと卑近なレベルで）括弧に入れられることが少なくない。むしろ、情報の挙動がいったいどのような効果を生じさせるのか、人間の世界でいかなる軌道を描くのかに話の照準がもっぱら合わせられることが少なくないのである。それは学術においても、ビジネスや政策の議論の場でも、日常においても、変わるところがない。

と同時に、そうした議論の場では、情報の流れはそうであるからこそ制御しなくてはならないのではないか、という論点もせり出してくるだろう。わたしたちが第Ⅰ部でみた情報世界の今後を描き出す論者は、そうした効果と制御の両方の観点から自らの論を組み立てていた。

情報技術の進展は、しばしば行き過ぎる。ボストロムにせよ、テグマークにせよ、情報技術の暴走について強い懸念を示していたのは、すでにみたとおりだ。ボストロムは、「シングルトン」という独自の用語で、なんらかの特定の知能マシンが互いに接続した機械の群れのなかで覇権を獲得した場合の暴走の可能性に、またテグマークは、予測しがたい形で知能の爆発的な浸透が生じてしまう可能性に、世間の関心を集めようと論陣を張っていた。

また、マカフィーとブリニョルフソンは、経済という人間活動の根幹に情報技術がもたらす効果としての変容に大きく期待しつつ、他方でしかし、その具体的な作動のあり方についてフェーズを腑分けしつつ効率的にアップデートしていくという制御のあり方を推奨していた。反対に、ズボフは、情報技術が実現してしまいつつある、人間の行動に剰余価値という効果を発生しうるように整備されつつあるシステムへの人間主義的な制御の必要性を説いていた。

加えていえば、フクヤマとサンデルは、情報技術によって発展した遺伝子工学で、これまで人類が培（つちか）ってきた人間の尊厳――フクヤマの場合は近代合理的思考、サンデルの場合は美徳――が損なわれると捉えている。ハラリは、近代において人間が模索してきた自由と民主主義の（社会）制度が崩れ去ってしまうことに深い憂慮を示す。

まとめていえば、情報についての議論は、その「効果」と「制御」という両側面から腑分けして考察することが有用である。

《思考のヒント9》情報の世界への波及は、「効果」と「制御」という両面から捉える。

二　複数の世界像の乱立

このことを、気鋭の哲学者マルクス・ガブリエル（一九八〇年生）をたよりにして、より鋭角的に整理し直しておこう。

現代世界を席巻する哲学者としてガブリエルは、日本でもよく知られた存在である。ガブリエルは、いささか牽強付会であることを承知の上で書きつけるのだが、上記のような理解に接近するものとしてみることもできる。そこまでいわなくとも、たとえば少なからずセンセーショナルなタイトルをもつ『なぜ世界は存在しないのか』（二〇一三年）という書物のなかでデジタル技術が作り出すオブジェクトやオンライン上の事物を話題にしながら、いわば存在論の拡張の必要性を唱えつつ自らの哲学の組み立てを論じており、本書としても少し言及しておかないわけにはいかない。

ガブリエルの論は、暴力的に切り詰めていうなら、文字通りの意味合いで世界なるものは存在しないという内容ではない。（大文字の）唯一無二の世界だけが存在しているわけではなく、複数の世界が乱立しているとしかいえない、というのがその主張だ。

これを、彼は三つの論点から主張している。第一に、事物には、それぞれに現れる多彩な対象領域が存在しているということ。第二に、それらの現れには、これまたそれぞれに彼がいう「意味の場」

が張り付いているということ。第三には、それを前提とするとき、すべての現れを包摂する世界というものは認識しえないということ。これら三つの論点から成り立っているのである。もう少し詳しくみておこう。

ガブリエルはいう。「物・対象・事実だけでなく対象領域も存在している」ということに、わたしたちは注意を向けなくてはならない。しかも、「さまざまな対象領域が数多く存在している」のであり、それらのなかには互いに「排除しあうものもあれば、さまざまな仕方で包摂しあうものもある」だろう。卑近な例をあげれば、「美術史という対象領域は、ルネサンス時代の芸術作品を実験室で化学的に分解したり、新たに合成し直したりすることを排除しています。そんなことをすれば美術史の対象は台なしになってしまう」だろうからである。[2] あるいは、「自然数という対象領域は、偶数という対象領域を包摂してい」るし、「民主的な地方政治という対象領域は、たったひとつの政党だけが選挙に出られるということ、つまり一党独裁を排除してい」る。「たんに同等に並び立っている」というかたちではなく、それぞれの「事実の地盤は、さまざまな対象領域に分けられてい」る、というのである（ガブリエル 二〇一八、五五―五六頁）。

マルクス・ガブリエル

まとめていえば、「事実の地盤にはさまざまな構造があり、さまざまな領域、さまざまな**存在論的な限定領域**

に分けられる」（同書、五六頁）のである。その上で、こう強く主張するわけだ。「多様な対象領域のいっさいを、たやすく唯一の対象領域へと存在論的に還元することはできない」というのである。「ひとつの対象領域を存在論的に還元するにさいしてさえ、きちんと学問的な根拠をもって行なうには、それにふさわしい特定の学問的方法を用いなければな」らないが、それは「ほかの対象領域の存在論的還元にさいして用いられるべき学問的方法とは違うもののはず」だろうからである（同書、六〇頁）。

対してガブリエルは、大文字世界をこう規定している。「世界とは、物の総体でも事実の総体でもなく、存在するすべての領域がそのなかに現われてくる領域のことです。存在するすべての領域は、世界に含まれている」（同書、六九頁）。これは、ガブリエルが二〇世紀の哲学の巨人のひとりといってまちがいないマルティン・ハイデガー（一八八九―一九七六年）がものした「世界像の時代」（ハイデガー 一九八八）という小論から引いてきた規定である。本書としては、このハイデガーの主張については、あとでもう少し詳しく論じ直したいが、ここではさしあたり、この意味での世界が存在しているという主張には哲学上、相当程度の見直しが必要だろうという方向に、ガブリエルが論を方向づけていく、そのことを確認しておくこととしよう。

《思考のヒント10》複数の世界の乱立という状況を受けとめる。

《思考のヒント7》で述べた「制作的世界観と究明的世界観の作動を複眼的に見る」という文は、

《思考のヒント10》のような厚い文脈をレイヤーとしてもつという具合にいいかえることもできるかもしれない。

「意味の場」の移行、あるいは「状態遷移」

やや専門的にいっておけばこうだ。ガブリエルは、この「現われてくる」がカントから現象学に流れ込んでくる近代哲学の要諦となる用語であることを踏まえながら、独自の言い換えをほどこしている。「現われ」は、前提として人間に対して現れる以上、人間が意味づけをする作用がまずありきであり、そうであるかぎり、それは「意味の場」という文脈においてこそ出来する、というのだ。つまりは、「**意味の場**こそが存在論的な基本単位であること、およそ何かが現われてくる場が意味の場であることです」（ガブリエル 二〇一八、七六頁）と論じるのである。これは、「存在すること＝何らかの意味の場のなかに現われること」（同書、九七頁）ともいいかえている。

事物に対する「対象領域」というセッティング、またそこでの事物の現れには「意味の場」というセッティングがあるのだという論点から、ガブリエルは「世界のなかに世界は現れてこない」というテーゼを出す。どういうことだろうか。

彼はこういう説明を与えている。「視野という領域のなかでは、けっして当の視野それ自体は見えません。そこで見えるのは、眼に見える対象だけです——隣席の女の人、カフェ、月、日没など。せいぜいできそうなことは、視野を絵に描いて表現しようとすることくらいでしょう」と。まさに世界の見え方にも同じ事情が横たわっている、というわけだ。「わたしたちが世界を捉えたと思ったとしても、そのときわたしたちが眼前に見ているのは、世界のコピーないしイメージにすぎ」ないのだ、と。いいかえれば、「わたしたちには、世界それ自体を捉えることはでき」ないのだ、と。というのも、「世界それ自体が属する意味の場など存在しないから」だ。「世界それ自体は、世界という舞台に登ることが」ないのであり、畢竟「わたしたちにとって表象となることもあり」えない、そうガブリエルは論じるのだ（同書、一一一―一一二頁）。そして、次のように言い切るのである。

世界は存在しません。もし世界が存在するならば、その世界は何らかの意味の場に現象しなければなりませんが、そんなことは不可能だからです。（同書、一一四頁）

ガブリエルは、上記のような考えは他所でなされた哲学的主張を否定するためだけになされているのではないといい、次のように続けていることにも注意しておきたい。こうした具合に考え方を整えるのは、むしろ生産的である、と（同頁）。いったいどういうことか。

映画の時代の終焉

ガブリエルの論立てについてちょっとイジワルなツッコミを入れつつ、その実効的な成分をさらに抽出してみよう。

ガブリエルは、科学的な世界の見方を例に挙げ、「科学的世界像」という言い方でその限界を指摘している。「この世界像は、感覚で捉えられるものの領域を、存在することそれ自体と取り違え、人間にとっての感覚の必要を、銀河の拡がり全体に投影してい」ると評価するのだ。つまり、世界像を眺めるとき、ひとは「いわば外から現実を見て」いて、その上で「現実はどうなっているのかと問うてい」る、という格好になっているというのだ。「あたかも自分のそとに世界があ」って、「映画館にい」るかのように「現実を眺めている」という格好になっている、と。けれども、ほんとうにそうなのだろうか、と彼は問う。「わたしたちがいるのは現実のただなか」のはずではないか。自身の生活上の実際で、そうしたただなかにいることをわたしたちは知っているはずである。

にもかかわらず、そうではない仕方で日々の考えの決定をすすめているのはなぜか。自分の考えの決定を自らすすめるのではなく、「メディアや教育システム、あらゆる種類の社会制度を通じて、さまざまな世界像が流布しているから」ではないか、とガブリエルは具体的な要因を指摘する。「いろいろな操作を施された（つまり過度に修正され、きれいに彩色された）ハッブル望遠鏡の観測画像や、宇宙への最終的・決定的な洞察を可能にすると言われる最新の素粒子モデルなどが、次から次へとわたしたちに浴びせかけられてき」ているのが実際なのだ、と（ガブリエル 二〇一八、一三六―一三七頁）。

分析哲学者トマス・ネーゲル（一九三七年生）を引用しながら、ガブリエルは、こうした「どこでもないところからの眺め」は、原理的に獲得することができないばかりか、「混乱した理想像にすぎ」ないという（同書、一三七頁）。つづけていうには、むしろ、「わたしたちの生きている世界は、意味の場から意味の場への絶え間のない移行、それもほかに替えのきかない一回的な移行の動き、さまざまな意味の場の融合や入れ子の動きとして理解することができ」るだろう、と。そうして、同じロジックを駆動させながら著作の後半では、自然科学、宗教、芸術などの意味を位置づけ直していく作業をおこなうのである。

少し斜め目線でないものねだりをいえば、本書としては、ガブリエルのこうした立論——少なくともこの著作にかぎり、ということになるかもしれないが——に、やや歯切れの悪さを感じてしまうところもある。彼の立論における映画の時代の終焉を前提としたような書きぶりに逆行して、この著作のあちこちで具体的な事例として言及されているのは、多くの映画作品だからである——これは偶然なのか、それともガブリエルの弱点なのか。

公平にいっても、ガブリエルの著作において、デジタル技術が実現しつつある世界像、いや、もっと正確にいうと〈世界‐人間〉の関係性の進化については、じつは、映画が例になっていることがじつに多い。映画を中心にして絵画や科学研究で用いられる画像が少々といった、いくつもの中程度の世界像を例として行き来する文章になっているのだ。「意味の場」の移行という事態は、具体的な活動に落とし込まれた場合、シネコンのなかのいくつものスクリーンを渡り歩くさま、コメディ映画からホラー映画へ、ラブロマンスものからアクション映画へと渡り歩くさまを下手をすると彷彿とさせるといったらいいすぎだろうか。後述するように、ガブリエルはじつは別の手立ても用意しているが、彼がいう「意味の場から意味の場への移行」という言い方は、実際のところ、映画館のこっちのスクリーンからあっちのスクリーンに渡り歩くという格好のもののようにみえてしまうのである。

理論的に踏み込んでいえば、そこでの動態性はスクリーン間の状態だけで、スクリーン内のそれが抜け落ちているように映る。複数の世界像の間を行き来するという水準での動態性しか議論の俎上に載せられていないのではないか。端的にいえば、わたしたちが第I部で見たような、そして第II部で掘り下げて論じたような〈制作的な世界観〉を論じる姿は、それほど顔をのぞかせないのである。

あえていっておくと、GAFAなどが代表するビッグテック企業の開発で何が実際上起きているのかについては、情報を論じようとするヨーロッパの哲学者の少なからずはじつはそれほど詳しくないのではないか、という疑念までもが筆者にはある――関係者との対談や関係先への訪問をいくつもなしているにもかかわらず。

彼自身の哲学の奥行きは狭い意味での哲学者研究の専門家ではないのでわからないが、本書の趣旨は個々人の哲学者の思想の解明ではなく哲学的な論点の整理であることを断った上で、あえて踏み込んでこういっておこう。少なくとも上記で見たようなガブリエルの論立ての有効性に対して、こうツッコミを入れておきたいのである。たとえば、だ。こんにち、物理学などを中心とした基礎科学――こうした学的姿勢が軸に置いているのは〈究明的世界観〉だが――が中心で、それを応用するのが治療施策だという考え方に対して、データ的世界観のもとで大きな変更可能性が出てきている。すなわち、いま現在、医療の現場で抽出することのできるデータ量がスケールアップしていることから、いわゆるEBM（Evidence-Based Medicine）といった方向性が前景化してきている。因果律に対する大転換である。これを哲学的にバックアップしているのはプラグマティズムだということになるのだが、端的には、プラグマティズムはデータ的世界理解の図式により適合しているし、踏み込んでいえば、動態的な世界のただなかで行動するひとの状態遷移という考え方ととても相性の良いものである。映画館のスクリーンをあちこち渡り歩いて眺めるこの私というよりも、居間で、電車で、オフィスで、カフェで、画面内の組成が絶えず移り変わっていくモニター画面との常時接続のような接触面の遷移において、この私は随時自らをアップデートしているといえばいいだろうか。

環世界をアップデートする(1)——それは構造ではない

本書のこれまでの考察の筋に置き直して、もう少し詳しく述べておこう。

すでに触れたように、ガブリエルの世界像の議論は、ハイデガーを踏まえている。ハイデガーは「世界」という概念を論じるなかでユクスキュルの「環世界」概念を参照していたのではないかということが、さまざまに議論になってきた。ハイデガー前期の主著『存在と時間』では言及されていないものの、その前後になされたといわれる講義録などではそれなりの紙幅を割いてとりあげているからである——ハイデガーがユクスキュルにいかなる仕方で依拠し、その主著においてなぜ言及しなくなったのかについては、いろいろな解釈があり、興味深いところではある（たとえば、木田 二〇〇〇）。いずれにせよ、第Ⅱ部でみたように、西垣や吉田、そしてホフマイヤーがユクスキュルの生物学に言及していたことを踏まえれば、ハイデガーがとりあげ、さらにはその展開の線上にガブリエルも並ぶのだとしたら、本書においては格別の関心を引くものとなる。

ユクスキュルの「環世界（Umwelt）」という概念は、生物の各種には自らが向き合い、生息するそれぞれの世界がある、というものだ。したがって、わたしたちの特段の関心のポイントは、「環世界」という考えが上記の「世界像」と同一視されるべきものかどうか、ということだろう。とはいえ、こうした抽象語は、よく似ているから一緒くたにするというよりも、その微細な差異こそが哲学的には重要だったりするので、注意が求められるところである。

まずは、ユクスキュルの「環世界」論が生物に対する機械的理解への反駁として提出されているということは、つねに確認しておくべき点だろう。

ユクスキュルは、こう述べている。動物というものを「適切な知覚道具と作業道具が選ばれてそれがある制御装置によって結び合わされ」ているものとして捉えるのは、真っ当な考え方のようにみえる。しかしながら、そうした考え方にはいまだ「硬直した機械論（Mechanismen）」のトーンが色濃く残っている向きがある、というのだ。その上で、ユクスキュルはまるで「世界像」を批判するガブリエルの言葉と呼応するかのように言をつなげている。「動物はこれによって純粋な客体（Objekt）だというレッテルをはられ」ているようであり、そこでは「知覚したり活動したりしている主体（Subjekt）」という契機がまるで忘れられてしまっている、というのだ（ユクスキュル＋クリサート 二〇〇五、六頁）。そして、こう述べている。

> われわれの感覚器官がわれわれの知覚に役立ち、われわれの運動器官がわれわれの働きかけに役立っているではないかと考える人は、動物にも単に機械のような構造を見るだけでなく、それらの器官に組み込まれた機械操作係（Maschinist）を発見するであろう。〔…〕するとその人は、動物はもはや単なる客体ではなく、知覚と作用とをその本質的な活動とする主体だと見なすことになるであろう。（同書、七頁）

世界の内側にある動物は――むろんのこと、そこにはヒトも含まれる――、世界に関わる作用する主体であり、その効果を知覚する主体でもある、というきわめてダイナミックな世界理解をユクスキュルは掲げているのだ。あらかじめ定められたとおりに動く機械として生物を捉えているのではなく、より動態的に、知覚や作用によって世界を作り出す機械操作係の主体として捉えているのである。あえて付け加えておけば、当該の動物が生きる環境世界そのものもまた、常に変容のなかにあるだろう。それは、先の引用につづく以下の言葉によって明瞭に示されている。

> そうなれば環世界に通じる門はすでに開かれていることになる。なぜなら、主体が知覚するものはすべてその知覚世界（Merkwelt）になり、作用するものはすべてその作用世界（Wirkwelt）になるからである。知覚世界と作用世界が連れだって環世界（Umwelt）という一つの完結した全体を作りあげているのだ。（同頁）

「知覚世界」と「作用世界」のあいだで交渉や干渉を繰り返しながら、刻々と変化する動態的な場のなかで勢力を広げたり狭めたり、自らの圏域のかたちを変えたり堅牢にしたりする。環世界の「環」は、ドイツ語の接頭辞Umの訳語にほかならないが、それは知覚世界と作用世界が循環しているというダイナミズムの特徴を描き出すものにほかならない。

だとするならば、これを固定化しているトーンが強い語で類比的に捉えるのは少なからずおかしいということになる。「構造」は、その典型だろう。

環世界をアップデートする⑵——情報技術にのみ込まれるアフォーダンス

それだけではない。そのほかの用語もしばしばアナロジカルに並べられることがあるが、はたしてそれらはどこまで似た用語であるのかについても慎重な議論が求められるのではないだろうか。本書はユクスキュルの理論を生物学の専門家として考察するものではないが、こんにち「情報という問い」に取り囲まれているわたしたちの日常にあっては、である。

その点でいえば、環世界にアナロジカルな発想として並べられがちな「アフォーダンス」を続いてとりあげておくことも重要かもしれない。「アフォーダンス」は、ジェームズ・ギブソンによる生態学的心理学の中枢をなす概念だが、暴力的に単純化していえば、次のように説明できる。

ギブソンは、自身が作ったこの語について、「環境のアフォーダンスとは、環境が動物に提供する(offers)もの、良いものであれ悪いものであれ、用意したり備えたりする(provide or furnish)ものである」と説明している。そして、「この言葉は動物と環境の相補性を包含している」という。そのうえで、次のような具体例を示している。

もしも陸地の表面がほぼ水平(傾斜しておらず)で、平坦(凹凸がなく)で、十分な広がり(動物の大きさに対して)をもっていて、その材質が堅い(動物の体重に比して)ならば、その表面は支える(support)ことをアフォードする。それは支える物の面であり、我々は、それを土台、地面、あるいは床とよぶ。それは、その上に立つことができるものであり四足動物や二足動物に直立の姿勢をゆるす。それゆえそれは上を歩くことも、走ることもできる。水あるいは沼の面のようには沈むことはない、つまり体重の重い陸生動物にとっても沈むことはない。（ギブソン 一九八五、一三七頁）

こういった具合に、世界はそれぞれの生物に与えられている（afford）という。

ここで注意を寄せておきたいのは、情報技術論がかなり積極的に、あるいは好んでアフォーダンスという世界の理解図式を活用する取り組みをすすめている、という事態である。ギブソン自身は、彼のいうアフォーダンスから捉えられた環境が情報技術論と相性があまりよくないことに、たびたび言及している。通信理論の祖シャノン＝ウィーバーの名前にまで言及し、「残念ながら、知覚の情報はクロード・シャノン（Claude Shannon）の情報のようには定義も測定もできない」と漏らしてさえいる[3]（同書、二五八頁）。

にもかかわらず、といえばいいだろうか、アフォーダンス論が情報技術と相性のいい世界の捉え方であり、それを自らに引き寄せることで情報技術は己の圏域を拡大していくことができるとみなす方向性が、開発研究では注目を集めている。その代表格が、日本でもアカデミズムの研究開発者からゲーム産業のデザイナーにいたるまで人気を博しているドナルド・ノーマン（一九三五年生）である（ノーマン 二〇一五）。ノーマンこそ、アフォーダンスとプログラミングを結び合わせる、いわばデザイン思考を世に広めた中核的存在だといってもいいだろう。人間の行動パターンがもし環境によってアフォードされているのであれば、それをデザインにおいて組み替えることで、もっといえば、システムのアクチュエータを噛ませることで、より豊かな生活世界を生み出せるのではないか、という主張を展開したからである。さらにはより豊かな環境生活まで実現する、と主張しているのだ（ノーマン 二〇〇四）。ちなみに、こうした発想が、第I部で少し触れたダニエル・カーネマンの考え方やその影響下にある行動経済学、さらには第9章で触れるアレックス・ペントランドの新しい社会物理学などとも相性がよいことはいうまでもなく、思考の一大圏域をかたちづくっている。

とはいえ、ギブソン自身のコメントにもあるように、アフォーダンス概念とデザイン思考をストレートにつなげる考え方については慎重であるべきなのは間違いないと思われる。まず、環世界の概念を掘り下げ、論を整理しているわたしたちにとっては、むしろノーマンの主張は、いわば〈制作的世界観〉に近いものだと位置づけておくことが大切であるように思える。すなわち、それは動態的に揺れ動く、現在の複数の世界理解の図式のひとつのオリエンテーションにすぎない、としておくことも有効ではないかと思われるのである。

その点を留保した上で、「アフォーダンス」理論と「環世界」理論の相性をもう少し整理しておきたい。ここでは、補助線として、現代の人類学を突出した仕方で先鋭化させているティム・インゴルド（一九四八年生）の議論を参考にしておこう。

インゴルドは、「人間の環境における関係が象徴的な意味のシステムに媒介されているという想定」は、じつのところ「さまざまな矛盾」を抱え込んでいる、という。加えて、対比的に述べられるところの「人間以外の動物は意味のない世界に住みついている」という「想定」もまた「ばかげた帰結」をもたらしているだけだ、ともいう。その点では、アフォーダンス理論は、これらの想定を突破する「心理学的なひとつのありうるアプローチ」である、と一定程度の評価をしめしている（インゴルド 二〇二一、一六二頁）。

だが、こうした発想にかかわって問題となるのは、環境についてのこうした「関係論的」なものの見方と、伝統的なものの見方、すなわち、その環境に住む「生き物に先立って独立に存在し、さらには生き物がやむを得ず適応しなければならない一群の客観的条件として環境を措定する見方」とをうまく接合できなかったことである。関係論的な環境理解は、当該の生き物の主観的な理解にほかならないが、適応しなければならないものとしての環境は、そうした生き物に対して客観的に存在している。この矛盾点をギブソンは解決しないといけないのであるとインゴルドはいうのだ。[4]

暴力的に整理しておけば、アフォーダンス理論が、「アフォードされている」という言い回しにみられるように、静態的な環境であるかのようなトーン、加えて閉鎖系であるかのようなトーンをまとっていることにインゴルドは違和感をとなえているのだ。究極のところ、「環境の居住者ではなく、環境の方に意味の現場として特権を与えている」論になってしまっているというのである（同頁）。

それに対して、先に確認したように、環世界は基本、動態的なものだ。それは、閉鎖系であるというより、そこには開放系としての側面が非常に強くある、とインゴルドは論じるのである。

三　「世界像の時代」の果て

これらの議論を通じてインゴルドが論じようとするのは、最終的には、ハイデガー哲学における「環世界」の捉え方のミスリーディングな部分をあぶり出すことだといっていいだろう。

まったく反対に、動物行動学でヤーコプ・フォン・ユクスキュル〔…〕の先導に従ったマルティン・ハイデガーが、動物が自身の「環世界」に「とらわれ」ていることと、世界が人間に開示され、開かれている仕方とを鋭く区別した。しかしユクスキュル的に言えば、動物のとらわれもまた動物の生命が線に沿って多声音楽さながらに流れるという仕方で開かれの感覚を含んでいる。
（インゴルド 二〇二一、一六二―一六三頁）

哲学的議論に即していえば、次のようにいうこともできる。ユクスキュルの「環世界」論を踏まえるとき、ガブリエルよりもさらに強く、わたしたちはハイデガーの有効性を見直しておくことができるのである。ハイデガーは、『形而上学の根本諸概念』（ハイデガー 一九九八）において、次のような区別をおこなっている。

(1)石は無世界的である。
(2)動物は世界貧乏的である。
(3)人間は世界形成的である。

第Ⅰ部、そして第Ⅱ部（とりわけフロリディや西垣の論）で考察してきたものを踏まえるとき、この三つの区別はやや素朴だといわざるをえない——もしかすると、かなりややこしいハイデガーの哲学ではそれをしっかりとカバーする議論が背後に組み立てられているのかもしれないが。しかし、少なくとも実態面でいえば、ＩｏＴの時代にあって、ヒト、生き物、モノの関係がラディカルに変容しつつあることが、カーツワイルのシンギュラリティ論からハラリの新しい独裁性への危惧にいたるまで、多くの角度から見通されてきている状況、いや、すでに開始されつつある状況がある。

本書のここまでの考察に鑑みるなら、こんにち、ハイデガーのような分類は額面どおりに、あるいは素朴に倣うことはできない代物だろう。ハイデガー哲学の深さを安易にやり過ごしてはならないが、そうであるからこそ、表層的な存在論の枠組みについてはアップデートしておく必要がある、といってもいいだろう。

石の情報ネットワーク、動物の情報ネットワーク、さらには人間の情報ネットワークが並走し、いくつもの世界像が乱立する。わたしたちがこんにち生きる場は、同時に、乱立する世界像が互いに交わり、すれ違ったり衝突したり、交渉したり干渉したりする、そんな世界でもあるだろう。ハイデガーがいうよりも、あえていえばガブリエルがいうよりも、人間が特権的に、現象が立ち現れたりするさまに立ち会うというには、世界が、生き物が、モノが、あまりにも蠢いているのである。そうだとするなら、ガブリエル風にいえば、もはや人間は「意味の場」を移行する主たる存在ではなくなっているのではないだろうか。少なくとも主たる存在である度合いは減じつつあるのではないか。

情報技術にからめていえば、次のようなこともある。

こんにち、すでにデジタル技術の世界は新たなフェーズに入ったといわれる。コンピュータの進化をみると、わかりやすい。二一世紀もある程度すすんだ現在、ＩＢＭのWatsonに代表されるように、知覚と認知をおこない、そのデータを処理するとともに、取り巻く世界に実効的な作用を及ぼす、そうした駆動システムをもつコグニティブ・コンピューティングというフェーズに入ったといわれはじめている。わかりやすくいえば、動物ないし生物のみならず、機械もまた、自らを力動的に環世界と切り結びつつあるのだ（ハラウェイ 二〇〇〇）。生物群と機械群が入り乱れて、それぞれの環世界を交差させている、といえばいいだろうか。技術の進歩のなか、ヒトをサイボーグと捉えることで人間観を一新できる、と主張していたダナ・ハラウェイ（一九四四年生）が、生物としてのヒトを成り立たしめている諸器官を進化論的に捉える進化生物学に接近しはじめていることにも、そのような論の方向はみてとれるのである。

こうした〈生物‐機械〉が入り組んで交渉する動態的な場については、「環境」という用語よりも、むしろ多様な行為体群が多数のクラスター間で蠢いている事態を表している「生態システム」のような言葉の方が当を得ていると思われる。じっさい、近年、学術界から行政、ビジネスにいたるまで、「エコロジカルなシステム」、「エコシステム」という言い方があちこちで叫ばれるようになっている――すでに日常的に流通している以上、そうしたフレーズを相対的に観測しうる用語や理論が必要だともいえるが、その点についてはまた別の機会に論じることにしたい（そうした学術的方向性を強く打ち出した論も刊行されており、同時に多くの議論を巻き起こしている）。

《思考のヒント11》世界は、環境（構造）としてよりも、ダイナミックな生態系として捉えた方がより的確である。

もう少し具体的にいっていこう。たとえば、こんにち分析哲学では「モノとはなにか」という形而上学が改めて活発化している——その学術的動向自体が示唆的である。たとえば、こうした論議を日本で牽引している哲学者のひとり柏端達也（一九六五年生）は、「モノ」概念の対象性を哲学的に措定することのむずかしさを論じている。

《思考のヒント12》必要があれば、形而上学的思考のアップデートを意識することを怖れない。とはいえ、メタ形而上学はウルトラ構想主義になりかねないので、その手前で踏みとどまることが必要だ。

第８章　社会のセッティング

「社会」という言葉もまた、わたしたちが日常生活で頻繁に耳にし、さらには自ら口に出す言葉だ。とはいえ、これまた「情報」という言葉と同じく、「社会」という言葉の指し示すものがいったいなんなのか、改めて考えてみると、なかなか見定めがたく、その捉えどころのない輪郭に戸惑ってしまう。日本という国のなかのことなのか、グローバルな世界のことなのか、前者であっても日本国籍をもつひとびとで構成されているものなのか、それとも国境のなかに生きるひとびとみんなを包み込んでいるのか。

その上、「情報」という言葉と合わさった「情報社会」という言葉の見定め難さは尋常ではない。これが上滑りしてしまう抽象語であることは、はやくも一九九〇年代の著作で指摘されていたが、情報技術がかなりひとびとの暮らしに浸透してしまっているこんにちにあっては、この言葉はもはや古臭い相貌さえたたえている。しかし、情報技術の発展が社会に（少なくとも社会の理解の仕方に）相当程度の変容を与えたことはまちがいない。

そうではあるのだが、もし情報が社会を変容させるのであれば、思考をこんがらがらせるややこしさも抱え込む。というのも、たとえば「情報社会論」や「情報社会学」といった括りは、自らの研究対象にその言い回しが折り畳まれている（情報概念と社会概念の双方）ということになり、平たくいっても考察対象のメタレベルからの規定の仕方を己のうちに含んでいるという、入り組んだ学術的態度の組み立てになってしまうからである。社会学的な枠組みだけに収まりきらず、哲学的な思考の作動が求められるところかもしれない。

一　「社会とはなにか」という問いを変容する技術

繰り返しておこう。情報技術がなにを社会にもたらすか、といった類いの言明には、少なからずミスリードしうる危うさがある。

科学や技術を社会という観点から考察する科学社会学や技術社会学があり、近年改めて活況を呈しているのはよく知られているところではあるが、それは下手をすると、社会というものの定義がまずあって、そのフレーム内で科学や技術の輪郭を定め、その役割や責務を論じていく、という段取りをとることとなる。「社会構成主義」と言われるものがその典型だろう。極端な場合、既存の社会のありようを前提として、新しく登場した、あるいは登場しつつある科学技術に対して、イノベーションという言葉のある種の使い方のように事態を一変する素朴な楽観論を生み出したり、一種の本質主義的な脅威論を招き入れて悲観論を謳いあげたりさえするだろう。そうした身振りは一定程度人口に膾炙させる魅力もあり、なんらかの有効性があったのは否定するところではない。しかし、こうもいいたいのだ。むしろ、そもそも社会とは何かという根本的な問いかけが、いまや情報技術の爆発的な展開のなかでドラスティックにアップデートされなければならないのではないか。いわばていねいに組み立てられたメタ社会論的な問いをこそ、情報技術は促すにいたっているのではないか。

卑近な例を引こう。「ソーシャルメディア」というフレーズがすでに日本語の日常的なやりとりにおいて定着しつつあることに目をやってみよう。

このことが指し示しているのは、「社会的メディア」という日本語に翻訳しても、当該メディアの作動について的確な理解は得られない、ということかもしれないのだ。訳さないままカタカナに移し替えておいた方がまだ解せるような気配があったのではないか、という邪推さえ呼び込む。いうまでもなく、外来の言葉をできるかぎり日本語に移し替える作業は、精緻な日本語を、そして精緻な日本語に基づく精緻な思考を練磨させるためにも肝要だろう――そうした指針に筆者も沿いたいと思うし、これまでの仕事でもそうしてきたつもりだ。そうではあるものの、近年のデジタル技術の用語については、的確な日本語訳があまり案出できていない、あるいは大量に押し寄せているために追いついていない、というのがじっさいのところではないか。そのことの問題性を自覚しておくのは重要だろう。比較するわけではないが、明治期の哲学者や文人たちがじつに多くの西洋の学術用語を見事な日本語に翻訳したことには改めて驚かされる。

じっさい、society という語についても、明治期に輸入されたときに多くの苦心があったことが伝えられている。そんな苦心の試みに、福澤諭吉の「人間交際（の道）」という訳語があった[1]。福澤のいう「人間交際（の道）」は、英語のラテン語起源である socius が（家族などの血縁を越えた）「仲間」

や「知人」を意味することを思い起こせば、ひとつの核心を突いている訳業だといえる。けれども、それから一五〇年ほど経った二一世紀のいま、わたしたちが日常的に使っている「社会」は、ほぼ「世界」と同義に使われているのではないかと思うほど抽象度が高く感じられるときが少なくない。

すでに触れもしたが、じっさい、「社会」という言葉が何を意味しているのかを解するのは容易ではない。society 自体にかなり抽象的な意味が込められるケースも少なくなく、英語の society にも、日本語の「社会」にも、意味の振り幅に対応するような向きがあることも一概には否定しがたい。[2]

そうではあるのだが、「社会」の方が抽象度が高すぎるからか、その語感を回避するためからか、それ以外の理由なのかは判然としないものの、「ソーシャル」というカタカナが用いられたことによって、人と人との意思疎通の交わりという側面への情報技術の応用の実現に多くのひとびとの関心が向くようになったのかもしれない。そうであるなら、社会という語がその中核のひとつで指し示す人と人との交じり合いに、情報技術による介入が変化をもたらしつつある、そういってもおかしくないはずだ。

「社会とはなにか」という問いの立て方そのものの足場が一新されようとしていることが、ここでも窺える。先にも述べたように、情報技術は、わたしたちにメタ社会論の視点を促し、社会学的なアプローチにとどまらない哲学的な考察を促しているのである。

《思考のヒント13》情報技術は「社会」概念を一新する可能性を胚胎していることに留意する。

であるからこそ、自らが「社会」という言葉を用いるとき、その意味をできるだけ絞り込んでおくことが、より実効性のある考察につながるかもしれない。さしあたり、福沢諭吉にならって、「人間交際」という語が指し示す二つの軌道を起点にして考察をすすめていこう。

人間交際論(1)――通信（コミュニケーション）と意思疎通（コミュニケーション）のあいだ

ひとつめはこうだ。クロード・シャノンが定式化した通信回路モデルは、そうしたデジタル技術によるメッセージ交換をどう取り扱うのかを示す模式図からはじめよう。

［情報の機械上の取り扱い］

発信者 → 機械 → 受信者

だが、二〇世紀後半に勃興し、こんにちなお活発な、社会における文化実践を取り扱うカルチュラル・スタディーズがあきらかにしてきたのは、このシャノン＝ウィーバーの通信モデルと、人間同士の間（社会）における実際の交じり合い、ないし意思疎通の実態は異なる、ということだ。簡単にいえば、情報技術が循環させる情報の意味内容は、発信者においては決定されえず、絶えず受信者において決定されることになる、ということである。

［情報の意味生成上の実際］

発信者　→　機械　→←　受信者

このあたりのややこしさを哲学的に整理したのは、哲学者の山内志朗（一九五七年生）である。山内は、スコラ哲学を専門とする研究者だが、コミュニケーションをめぐる哲学的な分析を随所でおこなっており、教えられるところが多い。それを少しみておきたい。

山内は、グレゴリー・ベイトソン（一九〇四―八〇年）のいうダブル・バインド状況は、コミュニケーションとメタ・コミュニケーションの間の混淆から生じるものである、という点に注目する。コミュニケーションという現象には、一般にメディアと称されているものも含めて複数の情報伝達回路が常に関与しており、そうしたなか、回路間で少なからず反転や混淆を起こしながら受け手に意味内容を生成させるからである。このことを踏まえた上で、山内はコミュニケーションなる現象に関する基底域があると主張する。彼の用語では「コミュニカビリティ」という言葉になるが、それは「コミュニケーションの可能性の条件」と規定されている（山内には、コミュニケーションという現象を超越論的基礎の観点から整理した仕事として『天使の記号学』（山内 二〇〇一）もある）。

それは「コミュニケーションの手前のもの」であるとする山内は、次のようにいう。

　コミュニケーションの可能性の条件というと、なんか分かりにくいようですが、条件がそろわないとコミュニケーションは成立しません。外国にいて、挨拶をしたのに返事が返ってこなかったという経験はありませんか。日本ではすれ違って「おはよう」と言えば、普通挨拶が帰ってきますが、ヨーロッパではまず目を見て、アイコンタクトをとって、あなたに呼びかけているのです、とコミュニケーションに先行する可能性を整えてから挨拶をしなければ、返事はこないはずです。〔…〕

そういった身体言語レベルでの準備というのもありますし、また複合的な事象ですが、「信頼」が成立していなければ、どのようなコミュニケーションを交わしても信じてもらえず、砂の城を砂浜で造ること以上の徒労感が待ち受ける場合もあります。（山内 二〇〇七、六二―六三頁）

山内は、この「可能性の条件」としての「コミュニカビリティ」は超越論的な意義を帯びたものだともいう。それは、それが壊れた場合にわかりやすい、として、こうつづけている。

メッセージに付随してその意味するところを確定するシグナルを、ノーマルな人間と共有することをやめる。これはメタ・コミュニケーション・システムを崩壊させるというのと同じである。あるメッセージがどんな種類のメッセージなのか彼にはもはやわからない。「きょうは何をするの？」と言われても、前後の文脈も、声の調子も、付随するジェスチャーも、その言葉の意味を定めるはたらきをしないために、彼にはそれが、昨日自分がやったことを非難する言葉なのか、性的な誘いの言葉なのか、それともただ言葉通りの質問なのか、判断ができないのである。（同書、六三―六四頁。原典は、ベイトソン 二〇〇〇、二九九頁）

こうした事態は、一種「刃物」にも似た「攻撃」性を帯びることにもなりかねないし、下手をすると「不特定多数の人々からの攻撃に身をさらしているという妄想」も生じさせてしまいかねないという。[3] このフレームの存在が、彼のいうコミュニケーションの可能性の条件、すなわちコミュニカビリティだといっておいてよい。これを踏まえておこう。

二　コミュニカビリティに関わるデジタル・メディア

デジタル・テクノロジーとコミュニケーションの関係性の問題系に、山内のコミュニカビリティ論を挟んでみよう（以下、この項は、北野 二〇一四で論じたことと重複する）。

先にみたシャノン＝ウィーバーの理論は、人間の思考の相互作用としてコミュニケーションの総体をなんらかの包括的なかたちで情報理論化しようとしたものともいえるが、絞り込んでいえば、一定の仕方で理解された情報伝送形態に対する具体的な技術的達成の方向にすぎない。というのも、わたしたちのコミュニケーションがデジタル・テクノロジー登場以前の段階から、なんらかの媒介作用のもとにおこなわれてきたことは自明だからである。文字は紙とインクあるいはそれらに類したものを必要とした。また、声でさえ、儀礼の場、対話の場、団欒の場など、なんらかの空間的な整備が組織されてはじめて可能になるものだろう。したがって、言語的コミュニケーション、非言語的コミュニケーションを含めて、人と人の間のコミュニケーションが成り立っているとするならば、通信理論が想定しうるような情報交換が成り立ちうるのは、その一部の局面を技術論的にアプローチ可能な仕方で取り出したかぎりでのことである、といっておくのが妥当だろう。

　だが、次のことにも注意を寄せておきたい。デジタル技術が可能にしつつある諸技術は、こんにちすでに、素朴な通信理論が想定していた情報循環の次元をはるかに超え出るかたちで拡大しはじめている。端的にいえば、デジタル技術が介在するコミュニケーションは、融通無碍に変容しながら、コミュニケーションの伝達内容、伝達形式の次元だけでなく、意思疎通の伝達の入口と出口の仕組みをはじめとするさまざまな次元にまで作用を及ぼしはじめているのだ。こんにち、視聴覚に関わるセンサー技術の発達、位置情報に関わる空間認知システムはもちろんのこと、触覚や嗅覚、音と映像の同期性の精密化など、通信的コミュニケーションのみならず、言語的・非言語的、身体的・情動的を問わず、インターフェイス技術の開発競争が激化している。[4]

　シャノン＝ウィーバーの通信モデルの具現体を大量にネットワーク化し、交差させることでもたらされたのは、量的な拡大が質的な変化をもたらした、という事態ではないか。インターネットをはじめとする情報循環システムが成し遂げたことは、情報循環システムに接続する多くの人間群の意思疎通の仕方、姿勢や態度までをも組み替えたことはまちがいない。スマホで連絡を取り合う友人同士は、手紙や固定電話しかなかった時代とは異なり、日時と場所を詳細に決定してから待ち合わせに向かう、という行動パターンから離れはじめている。おおよその時間とおおよその場所を決め、段階的に詳細をつめていく、という格好での取り決めが当たり前になりつつあるのだ。

そうであれば、山内のいうようなコミュニカビリティの発生もまた、多かれ少なかれ変化にさらされはじめているのかもしれない。たとえば「空気を読む」とか「めんどくさい」という言い回しも、そうしたコミュニケーションのスキームの変容のなかで生じたものかもしれず、前世紀のスキームに慣れきっている世代のひとびとが知っている周囲への同調圧力という発想で解された「空気を読む」、あるいは根性主義的実存主義が嫌う心持ちとしての「めんどくさい」ではまったくない新しい語用が、そこには生じているのかもしれないのである。

別の言い方をすれば、信頼に足るコミュニカビリティとそうでないコミュニカビリティを、デジタルネイティブの世代は次第に選り分けていくスキルと感性を身につけはじめているということだ。生きていく上で致命的なトラブルさえおきかねないからである。「闇サイト」や「レビュー経済」といった新種の日常語は、そうしたオンライン生態系の状況をいい当てるものとして案出され、広まったものだろう。そうであるので、自分自身が大切だとか、根性主義的突破力だとかは、新しい世代には優雅でのどかなかけ声としか響かないのかもしれない。あるいは、単にまさに空気を読めていない、めんどくさいおせっかいかもしれないのである。

発信者と受信者の双方から一旦外され、断片化された循環する個々の情報に、その適切性に関わる信頼を醸成させるために、ネットワーク化が進行したともいえる。ネットワークには、インターネット勃興期から、安全性の担保のため、効率性だけでなく冗長性（リダンダンシー）が組み込まれたし、過剰な数の情報に対して優先順位をウェブ上のデータによって（つまり内在的に）割りだす検索エンジンが生まれたのも、そうした自生的変成のひとつとみなせるだろう。さらに、よりカジュアルな意思疎通行為をオンライン上に載せ、それらのデータの通信上の循環を拡大するソーシャルメディアが案出されたのも、自生的展開のひとつといえるかもしれない。

レトリカルにいえば、単線的で一方通行の通信モデルを量的に拡大することで、質的な転換を実現したのだ。あるいはまた、精神分析的な修辞を用いていえば、単線的で一方通行の通信モデルが前提としていたタイプの大文字のコミュニカビリティが溶け出しはじめているのかもしれない。

《思考のヒント14》「人間交際」としての社会に情報技術が介入し、意思疎通の基盤が揺さぶられはじめている。

人間交際論(2)――コミュニケーションを可能にする物質性

人間交際論のふたつめの軌道に移ろう。わたしたちが「情報」という語で呼んでいるものには、質的に異なる差異が伴っている。その質的な差異に関与するものとして機械が関わるか否かがとても大きな物差しになっている、ということもすでにみた。この点をさらに使いやすいように整えておけば、情報は、それが具現される、ないし物質化されるその仕方が、それを思考の対象として取り扱う場合に重要となるということだ。いいかえれば、情報は、その物質性が副次的な問題としてではなく、一次的な問題としてクローズアップされるということである。制作的世界観と究明的世界観の交差という論点は、その実態としての交差のありようを観測しようとするとき、多様な物質性の絡み合いという視角を抜きにすることはできないのである。

わたしたちがこんにち日常感覚でいうところの情報は、コンピュータによって取り扱われる情報を指している。もっといえば、デジタル技術によって取り扱われる類いの情報である。しかしながら、情報を取り扱ってきたのは、コンピュータだけではない。紙とインク、活版印刷技術、写真や映画といった視覚像の複製技術など、多くの（アナログといってもいい）機械による情報の記録、生産、循環が人類史にはあったし、それらの多くはいまもその作用を人間が営む社会において及ぼしつづけている。

このことについては、近年アップデートされた哲学や人類学でも、理論の更新がすすんでいる。とはいえ人類学的研究では、「情報」や「ネットワーク」という言葉が一人歩きしていて、なんらかの部族社会における情報ネットワークは、デジタル技術が浸透した現代社会の情報ネットワークの解明に寄与しうるだろう、といった類いの素朴な命題がまことしやかに提示されていたりもするが、そういった論をとりあげようとしているのではない。筆者にとっては、それらの有効性はまったくないというほど強く否定するものではないものの、しかしながら、その実効性のある使用には少なからず疑念を持たざるをえない、というのが正直なところである。

ここでは、近年話題のブルーノ・ラトゥール（一九四七―二〇二二年）のネットワーク論を、前章でも取り上げた気鋭の人類学者ティム・インゴルドがどう取り上げているかに着目したい。それぞれに深い省察をともなった深い論を展開しているので、両者に優劣をつけることが、ここでの本意ではない。そうではなく、二人の論を単純化してであっても比較することで、情報をめぐる思考ツールを練り上げるための材料になりうると考えるからである。

アクターネットワーク理論を簡単に振り返っておこう。ラトゥールは、社会を抽象化された次元でフラットに捉えるのではなく、「組み立てられている」という点をしっかり把握することが肝要である、という（ラトゥール 二〇一九、八頁）。しかも、それは「打ち立てる、強化する、表現する、維持する、再生産する、破壊する」という動態的なプロセスのなかにつねにあるだろう、ともいう（同書、一一頁）。社会学は要素間の「つながりをたどること」でもあるし、その際には「それ自体は社会的でない事物同士のある種の結びつき」も視野に収めなければならない、と（同書、一五頁）。その上でラトゥールはこういう。

つまりは、行為は自明なものではないということだ。行為は、意識の完全な制御下でなされるものではない。むしろ、行為は、数々の驚くべきエージェンシー群の結節点、結び目、複合体として看取されるべきものであり、このエージェンシー群をゆっくりと紐解いていく必要がある。（同書、八四頁）

こうした世界のイメージがアクターネットワーク理論の言わんとするところだというのである。では、こうしたラトゥールの考え方に、インゴルドはどのように迫るのだろうか。

ネットワークという考え方は、「生態学の「生命の網」から、社会学や社会人類学の「社会的ネットワーク」、物質文化研究の「エージェント - 対象」ネットワークへ至るまで、幅広い範囲の学問分野にわたって今やありふれたものになっている」とインゴルドはまず確認する。そして、情報技術の発展のなかで巷間に勢いよく循環するまでになっているともインゴルドはいう（インゴルド 二〇二一、一七三頁）。

だが、これらすべての分野において、要諦となっているのは「要素ではなく要素間のつながり」である、とインゴルドは指摘するのだ。すなわち、「関係論的」なものの見方が中心になっているのである、と。つまり、ネットワーク理論で描き出されている世界は、一方にネットワークを「構成」する「要素」があり、他方にそれらと区別された「それらをつなぐ線」がある、といった一種の二元論になっている（同頁）。とはいえ、それではいったい、そうした線あるいは要素の間の関係はいったいどこで出来上がったものだというのであろうか。

ここでは詳しく扱わないが、インゴルドは、アクターネットワーク理論と自らの「メッシュワーク的」アプローチを対比させて、次のように論じている。蜘蛛の巣の上を歩いて捕えられてしまう蟻（英語の ant は「アクターネットワーク理論（Actor Network Theory）」の頭文字の並びになっている）とは異なって、その巣自体をつくるのは蜘蛛であり、蜘蛛は自身の体内から分泌物を放ちながら少しずつ糸から成る網、すなわち蜘蛛の巣（英語では web である）をつくっていく（同書、一六三―一六四頁）。要するに、ラトゥールのネットワークはやや抽象度が高く（下手をすると数理的な次元で解されるかもしれないほどだ）、対して、インゴルドの「網」には、より物質的なトーンがまとわりついている。個々の場面で取り扱われる際には、それぞれの網が物質的な組成を異ならせ、それぞれに人間やそのほかの生命体の生の場におけるありようが変化するようになっている。

インゴルドはこういう。

「アクター・ネットワーク〔actor-network〕」という言葉は、最初フランス語の「acteur réseau」の訳語として英語の文献に登場した。その主導的な擁護者のひとりであるブルーノ・ラトゥールが後から気づいたように、その訳語は意図しなかった意味を与えられることになった。情報通信技術の革新を反映してか、一般的には、ネットワークを特徴づける属性は連結性、つまり「変形ないしの輸送、即時的かつ直接的なあらゆるものへの情報のアクセス」とされているのだ〔…〕。ところが、「réseau」という語はネットワークとまったく同等に網状構造、〔…〕クモの網も指すことができる。ところがたとえば、クモの網の線は、コミュニケーションのネットワークの線とはかなり違い、点をつなげたり、事物を組み合わせたりはしない。動くときに身体から分泌されることで引かれるクモの線は、それに沿ってクモが行為し知覚する線である。（同書、二〇八―二一〇九頁。訳文は変更した）

インゴルドの指摘は、分子生物学や進化生物学の近年の成果をみても、うなずけるものかもしれない。哺乳類を形成するパーツ群は魚類や両生類まで含みつつさまざまな進化の度合いで流れ込んでおり、その点を踏まえていえば、生物種ごとの感覚知覚の作動モードから固定的な像的世界理解を前提するのは、いかにも素朴である。それぞれの環世界は、けっして閉鎖系をかたちづくるようなものではなく、もっと互いに入り交じっている。それぞれの環世界の組成に、特徴ある行為者の群を必然的にまとわりつかせている、といえばいいだろうか。状態遷移は複雑に折りたたまれ、ダイナミックに生成変化していくのだ。

《思考のヒント15》情報技術が関わるコミュニケーションには多様な物質が関わる。

資本主義理解のアップデート？

「人間交際」という語が指し示す二つの軌道――ひとつは意思疎通への通信技術の浸透、もうひとつはコミュニケーションを実現する物質性――を考慮に入れるとき、社会なるものの理解はドラスティックにアップデートされる。

ここでは、社会を広く（つまり国という単位から自由な座標で）システム論的に捉えようとした代表格である世界システム論の近年におけるアップデートをみておこう。ジェイソン・W・ムーア（一九七一年生）が『生命の網のなかの資本主義』（二〇一五年）で繰り広げた論である。

「世界‐生態」という考え方を展開するムーアもまた、じつはラトゥールのネットワークについて、その抽象度を問題含みでないわけではないと指摘している。「生命の網」というフレーズを用いているのも示唆的である。

「社会に自然を足す」という考え方を否定して、ムーアは次のようにいう。

「社会」と「自然」は、知的な意味でも政治的な意味でも同じ一つの問題の一部であり、「自然」／「社会」という二分法的な発想それ自体が、近代世界の巨大な暴力、不平等、抑圧と直接にかかかわっているのであって、「自然」を外在的なものとみなすものの見方は、とりもなおさず資本蓄積の本質的条件にほかならない、というのが本書の主張である。（ムーア 二〇二一、四―五頁）

その上で、ムーアはこう論じている。「私は、この新しいパラダイムを「世界‐生態（world-ecology）」と呼ぶ」と。加えて、「構造」と呼ばれてきたものは抽象的な実在ではない、と。「身体システムの物理的構造、ものの見方、そして生産の方法は、日々の生命活動、そして世代間の生命の循環を再生産する無数の生物から生まれてくる」ものだからである。

もっといえば、ムーアは「一つの実体たる大文字の「人間」がもう一つの実体である大文字の「自然」とともに歴史的変化を共‐生産するのではない」のであって、「人間という種」は「生命の網のなかで共‐生産されているのだ」。「生命の網」のただなかで「人間と人間の構成する組織とがいかに緊密な結びつきを持」っているか、さらには「互いの境界を行き来し」、ひいては「相互に浸透しあっているか」、それはあきらかではないか――ムーアは勢いをもってそう語る。

こうした着想は、一見するよりはるかに思考方法の転換を引き起こす。一例をあげれば、「いかにして人間は自然から分かたれたのか」や「いかにして人間は自然を崩壊させ、環境を破壊したのか」といった問いかけは逆転させられることになる。前者は「人間はどのように生命の網のなかで他の自然と統合されているか」という問いに、後者は「人間は富や権力の蓄積のために、（他の人間も含めて）自然を働かせてきたが、この人間の歴史はどのような意味で「人間と自然との結びつきのなかで」共‐生産された歴史だといえるか」という問いに逆転させられることになるのである（同書、一九―

二〇頁)。

物質性をも視野に入れた「世界‐生態」という発想は、本書が前章で切り出した発想と重なり合うかもしれない(ムーアの議論に異を唱える議論が多いとはいえ)。

こういった生態的世界理解の発想は、ムーアも「制作」的契機を孕むものであると論じているとおり、ダイナミズムにかかわるもうひとつの着想をひきこむことになるだろう。すなわち、行為論的な世界理解も伴うことになるのである。

三　行為の時代

情報は、その個別具体的な出現——その摂取、処理、発信——に応じて、周りの物質的諸条件に作用を及ぼす。いま、その点を見逃すことができない時代になってきている。逆からいえば、言葉ないし記号を前提としてメッセージの受信、作成、発信というダイアグラムによって理解することは、あまりに抽象的であり、極端にフラットな数理的空間を前提としているかのようにみえ、じっさいの摂取、処理、発信に関わる多様な機械やシステムや物的仕組みの絡み合いを見落とすことになってしまうだろう。

機械情報ひとつとっても、作動する機械の組み立てもせり上がってくるはずなのだ。簡単にいえば、計算処理だけでなく、センサーやエフェクターもまた、社会が社会たる要諦に関わってくるものとして、その重要性が注目されるべきものになるのである。
あるいい方をすれば、計算処理機械として当初設計されたコンピュータにおいても、演算処理回路だけでなく、入力デバイスと出力デバイスもまた必須の構成要素として組み込まれていた。カーツワイルの議論の素朴さが露呈するのはその集積回路主義だが、ボストロムやテグマークが注意を寄せているのは、社会に「情報」が浸透していく際に、人間界だけでなく、生物世界と物理世界における各種データの抽出の仕組みであり、それら各世界に情報が効果を与えていく機械上の仕組みだった。情報と世界、とりわけ人間社会との関わり合いについては、知能水準だけでなく、そのセンシングやエフェクティングの水準も合わせて考察していかなくてはならない、ということである。
他方、第Ｉ部でみたズボフは、分析哲学で議論されてきた言語行為論に言及し、ビッグテック企業の行動データに関わる剰余価値の登場の次第について、こう論じている。すなわち、言語を意味論的次元だけでなく、その行為の水準に着目して、それがどのような周囲に帰結をもたらすのかに目を向けたのが言語行為論である、と。言語実践のなかには宣言的な行為があり、さらにそのなかには、従来は対象化されていなかったなにかを宣言行為において新しく実在させる類いの行為もある。ズボフによれば、ビッグテック企業はそうした行為性をしっかりわかっていて、予測という彼らの計算処理の結果を、実在物として取引可能な何かとして実在せしめるように宣言したのだ、と。[5]
ともあれ、従来のモノ概念の見直しから、新しい実在物の設定の仕組みの発動にいたるまで、こんにちふうの俗な言い方をすればリアルからヴァーチャルにいたるまで、多種多様な組成、多種多様な形態のものが存立するようになっている。それらにいかにして一律ではなく柔軟に対応しうるかが、今後の社会を考える上で大切な所作となるだろう。

《思考のヒント16》情報においては、認識上の作動だけでなく行為上の作動も重要である。

第９章　「人間」のセッティング

情報技術の浸透が世界のセッティング、そして社会のセッティングにかなりドラスティックな変容をもたらすことを確かめながら、思考のツール（ヒント）をリストアップしてきた。最後に、情報なるものが同時に「人間」というもののあり方までをも大きく変容させつつある次第を確認し、そうした状況に現時点で対処できる術を探っていきたい。

一　自己表象の時代

みてとりやすい現象の水準からみていこう。

ソビエト連邦の末期、ポストモダニズムとスターリン期のロシア芸術を重ねて論じることではなばなしく知的世界にデビューし、いまも現代芸術を鋭利に語る筆頭のひとりである芸術哲学者ボリス・グロイス（一九四七年生）は、一九九〇年代にドイツに移り住み、西洋の同時代の世界を体験するなかで、こんにちのデジタル世界は「自己表象」の時代に突入している、と喝破した（Groys 2010）。

現代の情報社会では行為論的な側面が前景化しつつあるということは、前章ですでに確認した。グロイスがいっているのは、そうした傾向が人間のうちに内面化されることになった、ということかもしれない。脈絡を整えて深掘りしておこう。

二〇世紀後半、芸術論や文化研究では（構造主義的な）記号論が取り入れられ、作品やコンテンツが別のなにかを代理として写しだす表象として捉えられはじめて、それが放つメッセージ内容の水準だけでなく、そのメッセージを成り立たしめている記号の配置（コード）の水準も合わせて論じる必要がある、とする解釈方法を普及させた。文化研究は、そうすることでメッセージ内容の手前の段階にある伝達構造の政治性をあぶり出したし、芸術論は自らの存立形式を問いただす自己言及的仕組みにある種の超越論的志向性を見出そうとした、といった具合に、それぞれの領分でそれぞれの探究メソッドのアップデートを図った――むろん、こうした整理をはるかに越える質をもったくさんの作品解釈も生み出されたが、ここでのポイントはそもそもそうした解釈合戦が終焉を迎えつつあるということなので、個別の解釈の可能性を追求することはしない。しかしながら、二一世紀のこんにちにあっては、さらなるアップデートが図られつつあるということは押さえておきたい。

表象は、その発出に照準を合わせた行為の側面で捉えることによってはじめて、その適切な意味合いが把握されるのではないか、という仕方でアップデートは進行しつつある。行為という側面が、個々の人間の水準で内面化されながら作動するようになっているといってもいいだろう。

これは、インターネットの情報のサーキュレーションをみやれば、たやすく察知できるかもしれない。オンライン上でたやすく作品やコンテンツにアクセスできるインターフェイスが整備されると、ユーザーがはまり込んでしまうのは、ひたすら解釈に浸る享楽にほかならない。それはそれで楽しいことではあろう。けれども、多くのユーザーは、まさしくその名称のとおり、ただただ鑑賞し、解釈を楽しむ受動的存在から、オンライン上の情報の挙動の流れに自ら乗り出す存在へと移行した。通りのよい言いっぷりを用いれば、ユーザーは自らが書き込み、発信する、ということだ。いわば作品やコンテンツが生成し、変化する磁場に自ら関与しはじめたのである。UGC（User-Generated-Content）というスローガンまで広く膾炙している。

発信者として皆が乗り出す以上、そうした状況にあっては、力動的な世界のうちで己の自己表象がそれを作成し発信したという行為性もまた情報としてサーキュレートすることになる。表象は、構造によって確定される存在ではない。力の波のなかで漂流するのだ（グロイス 二〇二一も参照）。

発信された自己表象をチェックするのは、もはや自らのうちの精神的な核のようなもの（精神分析用語でいえば「超自我」）ではない。そうではなく、オンライン上のレビューの波が旋回し、自己の表象を「いいね！」していくクリック数である。

さらには、だ。そうした発信の競合は、オンラインとの関わりの仕方をさらに次のフェーズに押し上げたようでさえある。先にも触れたように、インターネットの世界では、何を発したかよりも、誰が発したかにこそ注目が集まる、といわれるのも、こうした状況に関係している。すなわち、いわゆる発信力のある者がメッセージを発した場合、そのメッセージが額面上伝える内容やあるいは、その形式ですらなく、発したという事実それ自体が大きな（もしかすると、より大きな）意味の力をもつ、という事態を生ぜしめたのである。影響力のある発信者の場合、特定の話題について発信しないこと、沈黙していること自体もまた、一種のメタメッセージを放っているとうけとめられかねないフェーズになったわけだ。発信力のない者が過剰な反応行為（いうところの「炎上」）を起こしてでも自らの発信力を高めようとする場合が出てくるのも、当然といえば当然である。それは発信者個人の資質のせいではないのかもしれない。情報技術が網として張りめぐらされたコミュニケーション空間では構造的に生じてしまうことかもしれないのだ。

アイデンティティのスーパーマーケット化

こうしたことは、少しややこしい言い回しになるが、自らが自らのありようを理解する仕方にも大きな変容を引き起こしつつある。

二〇世紀後半、人文系の学術界では、メディア文化がもたらすひとびとのアイデンティティ形成という問題が盛んにとりあげられた。主にマスメディアを扱う社会学においてである。急いで付け加えておくと、「メディア」という語を冠する研究は、往々にして二〇世紀のマスメディア研究を踏襲したものが少なくないが、ここではそういった方向に入り込まないように、アイデンティティ形成にとってのマスメディアとメディア技術の関係を段階的に整理しながら考えていきたい。

まず、ひとびとの意識のなかに集団的なアイデンティティを醸成する上で、出版メディア、とりわけ新聞や小説が大きな役割を担ったという、ベネディクト・アンダーソン（一九三六―二〇一五年）のナショナリズム論が、その第一弾である。いわゆるナショナリズムの成立に関する従来の議論であれば、主に一八〜一九世紀において、傭兵部隊ではもはやもたず、国民皆兵の段階になってそれは勃興した、という歴史的説明が一般的だったが、アンダーソンはそこに一石を投じた格好である——日本ではそうした学説が逆転して輸入され、二一世紀になって逆に、軍事上の傭兵体制の終焉が国民皆兵意識をもたらしたというのが目新しい考えであるかのように主張する者もいたりするが。

メディア経験を共有することで、一定の地理的な拡がりの中で生活を営むひとびとの間に共有された集団的心性が醸成されるのではないか、といった論は、欧米を中心に（日本の外側では）二〇世紀末にかけて、理論面でアルジュン・アパデュライ（一九四九年生）によってアップデートされる（アパデュライ 二〇〇四）。すなわち、国境をやすやすと跨いでその流通を拡げるデジタル・メディアの拡大、さらにはそのオンライン上での組み込みが、国の圏域を越えた集団的な感性や自意識を生み出しはじめた、とアパデュライは論じたのだ。デジタル技術がひとびとの自己意識に効力を発揮しはじめた、ということである。メディア経験が国民国家の圏域を軽々と越えて拡がることになったいま、共有される集団的心性もまた大きく広がっていくことになったのである。

だが、もしかすると二一世紀のこんにち、事態はいっそう複雑化しているのかもしれない。というのも、先にみたような自己表象が奨励され、その発信が促されるこんにち、そうした制作や発信の作業の際にかき集められる素材は、もはや国境などなんの障害にもならないほどインターネット上の流通のなかにあり、いともたやすくアクセスできるものになっているからである。自己をめぐる表象の作成作業は、そうしたかき集めにおいてなされるものとなった。このわたしは、インド映画に耽溺し、南米の音楽にハマり、イタリアのグルメ情報に通暁する、そんなアジア人である——といった具合だ。じっさい、グローバルなストリーミング配信は、『ゲーム・オブ・スローンズ』のように、世界一斉配信というイベント性を自らのセールスポイントとして売り出したし、音楽サービスでは八〇年代日本のシティポップを誕生から四〇年の月日を越えてグローバルヒットチャートにのせた。少しうがった言い方をすれば、人種的にも民族性においても、ジェンダー的にも性においても、まさに色とりどりのといっていい多様性が、オンラインで流れるイメージとテクストの表象空間を埋め尽くしている。

ウェブ上にあって、アイデンティティをかたちづくる文化表象は、まるでスーパーマーケットのように陳列（display）されている、とある社会学者は論じている。自身の生を取り巻いていた文化表象の数々は、まさにグローバルな拡がりの中で、いまここで生を営むわたしのもとに、あれやこれやと飛び込んでくる。それは、それまで自分を「〇〇人らしさ」、「男（女）らしさ」といったイメージとテクストで条件づけしていたこのわたしのアイデンティティの制約の数々を、あれやこれやの豊かさをもって奔放に解き放つのである。このわたし自身のわたし性をこしらえているのは、色とりどりな文化混淆的なわたしである、といってもおかしくないほどに。

自己表象の時代となって、文化的アイデンティティが手軽に獲得できるものになったという事態は、それはそれで開放的で、多幸感すら生む。が、他方でしかし、それらが組み合わさるとき、自己イメージの絶え間のない更新が常態化する、という新たな桎梏の中に放り込まれる世界内存在ともなるだろう。ひとは自らの実存のロールモデルをあちこちに、次々と求め、己のありようを絶え間なくアップデートしていく、あるいはしていかざるをえない、というループにはまり込んでいく。サブカルチャーで「沼」という言葉が用いられるようになったが、まさに当を得た表現だ。いわば自己形成の作業に絶え間なく自己表象の努力が織り込まれ、自己理解を作動させれば、じつに多様なわたしが出現する、その動態的な変動において、わたしたちは己の生を営んでいる。二〇世紀的なわたし性が懐かしいほどに、こんにちのわたしの群れは忙しく自らを変動させているのである。

だが、こうした仕方で情報技術と人間のセッティングに関わる問題を括り出すのは、いわば社会学的な考察の水準のものである。

変異が常態化する自己——認識主体から行為・倫理主体へ

素材が周囲に数多あるなかで自己の表象化を自らおこない、また他者に向けて発信するさまは、いや、刻々と変わる素材の旋回のなかで自己表象を変移させ、また他者との関係を絶え間なく仕切り直していくさまは、どこかに社会なるものがあってそれを計測し理解しようとする構えとは、大きく異なっているようにみえる。

つまるところ、現実的な存在としてのこのわたしないしひとびとは、どこでもない場所から社会を眺めているわけではないことが、いやがおうでも随時自覚させられる毎日となったのだ。一九世紀、そして二〇世紀であれば、情報をめぐる制作のブロック、流通にかかわるブロック、そして受容をめぐるブロックは、それぞれ別々に存在し、それぞれの担い手は別々に労働に携わっていた（映画については、北野 二〇一七を参照）。新聞や放送を思い浮かべればよい。かつては情報を調査する記者や調査員、それらを記事や番組に組み立てる編集者やディレクター、それを読者や視聴者に配送したり配信したりする運搬者や技術者が、別々の業種に分かれて分業していた。それがいまや、すべてひとりで同時に担うことすらできるほど、情報技術は劇的に進化している。YouTubeひとつとってみてもわかることだ。端的にいえば、ひとはいま、制作や発信の行為者であるのを拒絶することはむずかしい。どこでもないポジションから社会なるものに向けてテレビ画面でコメントを語る識者の言葉が「上から目線」のご託宣に聞こえてしまうのは、すでにあらゆるひとがフラットな表現行為者として存在しているという状態がデファクトスタンダードになったからだ。そこでのコミュニケーション作法が「上から目線」をうざいものに押し上げてしまっているからかもしれない。

ひとは常に行為する主体として在る、そういう存在者へと移行しつつある。端的にいえば、認識に軸足を置く主体から、行為に軸足を置く主体へと——それぞれ個別の人間の間でどのように自覚されているのかはともかく——広く社会で共有される人間像が変容してきているのである。

これは同時に、制作と発信と受容の分業体制が一定程度安定していた時代が終焉したということかもしれない。そうした分業体制では、人間はこうあるべきだ、日本人はこうしなくてはならない、男性は男性らしく、女性は女性らしく、と道徳をめぐって、ひとびとは触知し、語り、そして身につけることができただろう。だが、いまや個々の人間が、個々に規範をつくり、それに個々に従う、といった具合に生を執りおこなうようになってきている（むろんのこと、そうした追い込まれ方こそが、先に見たアイデンティティのスーパーマーケットが拡大する原因になっているだろう）。

第二の近代を語るアンソニー・ギデンズがセルフモニタリングの必要性を主張し（ギデンズ 二〇二一）、その論の方向に一定程度同調していたウルリッヒ・ベックが「個人化する社会」では「自らの神」への信仰の時代に入ったと説いていたのも（ベック 二〇一一）、それが理由だといえる。認識に軸足を置く主体であれば、正しく認識することが求められるところが、行為をすれば、どこかの相対する存在者と抵触するリスクを排除することはできなくなる。その度合いが高まれば、（かつて宗教の時代においてそうだったような絶対的な正義はもちろんのこと）近代に課せられていた相対的に安定的な正義概念を頼りに思考することもできなくなる事態を生むだろう。

フランス現代思想風にいえば、ミシェル・フーコー（一九二六―八四年）が形どった一九世紀の人間のありよう、すなわち「規律訓練」型のありようが失効しつつある、ということだ。それは「経験論的‐超越論的二重体」とも呼ばれた。暴力的な単純化であることを承知でいえば、そのようなフーコーが描き出した、自らの経験様態を規律訓練していくという理念モデルが失効しつつある、ということである。そうした規律訓練は、サーキュレーションの内と外でひたすら空回り状況を生むだけになりつつある。じっさいフーコー自身も、晩年には「規律訓練」型社会から「生政治」の社会への移行を論じはじめていた。

フランス哲学に立ち入る余裕は筆者の力量にはないが、行為の時代がメタレヴェルからのチェックメカニズムの枠組みを溶け出させつつあり、それがために正義論がさまよい（ひたすらにデジタル技術を嫌うサンデルの正義論は第Ⅰ部でみたとおりだ）、「あれは正しい」、「これは正しい」といった倫理の在り処に人々がやっきになる時代に突入したのかもしれない。

行為と倫理からの人間像

じじつ、デジタル技術の進化と偏在にともなう行為に軸足を置く人間の出現は、新しい倫理のかたちをあちこちで待望しはじめている。

たとえば、すでに第Ⅰ部でみたように、情報技術の発達は、遺伝子を操作する地平を開き、従来の道徳観や倫理観を覆すような事態を招来した。一方では、遺伝子操作による身体能力の強化をどこまで認めるか、あるいはまた、計算能力の向上や記憶の抹消といった介入はどこまで認めうるか、といった問題が次々に立ち上がっている。他方では、よりデリケートな水準の話になるが、胚珠のどの段階で遺伝子操作をはじめてよいのか、あるいはそもそも一切を禁じるべきなのか、といった宗教観まで問われている。こうした事態にフクヤマやサンデルが強く反応したことも、すでにみたとおりだ。

また、人間と他の動物とのより豊かな共生の可能性があちこちで問われていることも、よく知られているだろう。こんにちの進化生物学や脳科学の知見をみてもわかることだが、人間と動物の間の境界は溶解しつつある。それればかりか、人間と無生物の関係も、わたしたちは視野に収めるよう求められている。

生態論的思考が肝要であることは、これまでの議論のなかでもみてきた。生態系のなかでは、人間というエージェントだけでなく、動物、植物、微生物、酸素や窒素、さらには電気や石油や天然ガスといったエネルギーなど、さまざまなエージェントが関わり、絶えず状態変化を引き起こすようになっている。情報技術の進化と発展は、各種センシング技術の発達による多様なデータの抽出を実現し、またそれらの高速処理が実現し、これまで感知できなかった地球の各局面での動きが可視化されるにいたった。生態的世界を、より総合的、より包括的で、ダイナミックな観測が可能になったのだ。人間は、あえて「環境」という言葉を用いれば、環境の変化や行く末に対する意識が格段にアップされてきている、と捉えた方がよい。第3章で少し見たように、ハラリには人間（文字情報を旨とする存在者）を、分子の水準の存在者（他の生物）、そして原子の水準の存在者（無生物）との関わりのなかで論じた著作『サピエンス全史』があるが、人間が小麦を育てているのか、それとも小麦が人間を使って地球上での生存を拡大し、維持しているのか、という興味深い問いに言及している。このような発想での議論がちりばめられている好著である。

さらにいえば、ノーベル化学賞の受賞者でもある気候学者パウル・クルッツェン（一九三三―二〇二一年）らが主張する「人新世」という概念は、まさにワールドワイドな議論を巻き起こした。単純にいえば、人間が積極的にモノとしての地球に関与しはじめて以来（その時期については、太古の農業革命から産業革命まで、多様な論議がある）、この惑星自体の組成に取り返しのつかない変化が生じているかもしれない、という認識を喚起する用語として提案されたものである。

ここで関心を向けたいのは、次のような事実である。すなわち、「人新世」という発想自体には、情報技術の進化が大きく寄与している、という事実だ。ノーベル化学賞を気候学者が受賞したことからも、クルッツェンが「大気学者」と呼ばれたり「地質学者」と呼ばれたりすることからも推察されるが、近年の気候学は地質学研究における計測機器の発達によって従来とは異なる次元のデータ採取が可能になったこと、また大気の運動についても各種計測器の広範囲な設置によって、これまた従来とは異なる次元のデータ採取が可能になったこと、さらには、それらのデータをクロス分析することが高性能な計算機で可能になったということ、などなどだ。もっといえば、二重振り子運動について、初期設定条件を視野に収めずに予測計算するのではなく、初期設定条件の数値を組み込んで計算することも可能になっており、いわばカオス状態をシミュレートすることができるほど計算方法と計算力がアップして、惑星全体の気候条件の状態遷移が可視化されはじめてきているのだ。

こうした科学の展開は、さらに、気候に介入する可能性を秘めたジオテックや、惑星を取り巻く宇宙環境を測定する技術の発達などから、惑星としての地球をモノの観点から相対化するパースペクティブを広げさえしている。人間は自らの種のうちの倫理だけでなく、自らと動物の関係の倫理、さらには自らと無生物の間の倫理についても考えていかなければならなくなっているのである。

行為に軸足を置く人間像が向き合わなければならない倫理のあり方は、こうした具合に対象世界をさまざまにビッグスケール化する思考の柔軟性を要請する。

《思考のヒント17》こんにちにあっては、人間と人間の間、人間と動物の間、人間と無生物の間、それぞれの水準での倫理が問われている。

こうした対象世界のさまざまな度合いでのスケール化は、いちがいに肥大化した構想力の戯言と片づけられない深刻さをもっており、多くのひとびとや組織や機関の注目を集めるにいたっている。

二　自由意志のデザイン——世界は誰が設計するのか

こうした対象世界のさまざまな度合いでのスケール化は、対象世界への向き合い方を誰が担っていくのか、という論点ないし争点もまた生み出している。

ガブリエルが言うように世界なるものは存在しないのかもしれないが、まさに彼がいうように各種世界が存在するという観点に立てば、ひとびとはそれぞれの世界に行為と倫理を担う主体として嵌め込まれているという潜在的な可能性が蠢いてくる。情報技術がその潜在性を現実的なものに転換させることを目指しはじめても、おかしくないだろう。

こうした懸念は、きわめて現実的なものだ。だとすれば、世界は存在しないという物言いを、なかば厭世的な宗教意識や、そこまでいわなくとも深遠そうな思弁的人生論に埋没させてしまうことは、そうした現実的な諸課題に哲学的に目を向けることをうやむやにしてしまう危険がある。あえていえば、これらのさまざまな（溶け出す世界ないし攪拌する世界における）倫理的課題を前にして、SFチックなポストヒューマン論をもってユートピアを気取るのではなく、ヒューマニズムの地平から取り組むことが求められている、と多くの組織や機関が説いていることにも耳を傾けておくべきだろう。

とはいえ、ビッグスケール化するこれらの諸課題については、到底論じる余裕も能力もないので、その所在を指摘するにとどめておきたい（関心のある読者は、第I部でとりあげたボストロムやテグマーク、あるいはハラリの議論を吟味していただければと思う）。

ここでは、対象世界ごとに浮かび上がる諸課題について、いったい誰が対策のスキームを設計するのか、という点に絞って考察をすすめたい。というのも、第2章でズボフの監視資本主義社会論をみたように、誰が各種計算プログラムやアルゴリズムを設計するのかという問いと、人間の主体の行為の軌道を誰が設計するのかという問いは切っても切り離せないようになってきているからであり、その点こそがこんにち、もっとも切実に問われねばならない「情報という問い」を形成しているといえるからである。

ズボフに戻ろう。監視資本主義段階を招いた理論として彼女がたどり着いたのは、行動学者のバラス・スキナー（一九〇四―九〇年）、そして彼の思想の系譜に連なる一群の理論家及び開発者である。ズボフを脇に置きながら、本書の論述に関連するかぎりでスキナーの「ラディカルな行動主義」の思想の要諦をみておこう。

たとえば、次のような言葉にその思想は集約されている。人間というものは、

他者の行動をコントロールするように自らの行動をコントロールしている。そのような人間の行動は、分析の対象となり、最終的には、個人の外にある変数によって説明できる。（ズボフ 二〇二一、四二〇頁で引用されているスキナーの文章）

少し敷衍すれば、人間の行動は、誰かあるいは何かが観察することによってはじめて、そしてそのかぎりにおいて存立する。したがって（単体としての個別の人間において行動を捉えるべきだとした生物学者ジェームズ・ワトソン（一九二八年生）らとは異なって）、(1)人間、そしてその行動は、その社会性においてこそ存在しうるものであるとみなされ、しかも、そうであるからこそ、(2)それは計測可能である、という着想を引き出してくるだろう。行動経済学はこうしたスキナーの発想の系譜から生まれ

たものである、ともズボフは付け加えている。

これら二つのポイントが、行動の経済を推し進める資本主義、すなわち監視資本主義のエンジンによって激しく駆動されることになった。すなわち、知ることとなすことの双方に介入するデジタル装置の複合体によって駆動させられるのである。そうしたデジタル装置の複合体を、ズボフは「ビッグ・アザー」と名づけたいという。いうまでもなく、それはジョージ・オーウェルが『一九八四年』(一九四九年)で描き出した「ビッグ・ブラザー」に倣ったものだが、オーウェルのそれよりも深刻な事態が実現しつつある、という含みをもっている。

ビッグ・アザーは、知覚力と計算力を備えた装置で、人間の行動を監視し、計算し、修正し、変化させる。ビッグ・アザーは、そうした機能を組み合わせて、人間の行動をかつてないほど広範に修正する。監視資本主義の経済論理は、このビッグ・アザーの並外れた能力を通して方向づけられ、道具主義者を生み出し、魂のエンジニアリングを行動のエンジニアリングへと置き換えていく。(同書、四三〇頁)

ここにあるのは、スキナーの着想のように、人間を他者の目に映った「行動」において計測されるべき存在者とみなす社会だ。それが、人間同士の「ソーシャル」ないし「社会(あるいは社交)」と呼ばれてきたものの実態である。ビッグ・アザーの時代は、そんな他者の目をラディカルな仕方で機械が担うことになるのだ。センサーなどの装置が、人間をその行動の次元で観察し、計測する。極端にいえば、機械の目が作動することで、人間は人間となりうるような社会になっていくのである。新しいかたちの社会体、新しいタイプの人間の登場である（同書、四三〇―四三一頁）。

そうした新しい人間のあり方を唱える新しい理論が、その背後には控えていた。その次第をしっかりと捉えるまえに、もう少しスキナーの理論を整理しておこう。

行動心理学、あるいは二一世紀のスキナー

スキナーは、自身の心理学を「ラディカルな行動主義」として位置づけた最初の仕事『生物の行動』（一九三八年）で、こう述べている。「一切の主観を排除して、行動の観察に専念すべき」である。というのも、「行動とは、すべての生物が行っていること」だが、「より正確に言うと、他の生物によって観察される行いのことだ」からだ。これは心理学の学説史では一般に「行動心理学」と名づけられているタイプの心理学である。

行動を決定している要因をめぐる考察において、スキナーは、それをおこなう人間の心理状態、すなわち主観的な要素を排除する。そうではなく、むしろ観察されるかぎりでのものを「行動」と理解するスキナーは、当の行動がとりおこなわれる「環境」にこそ起因する、と説明する。生物の行動は、たとえば「見ている（see）」ではなく、「前方に目を向けている（look forward）」と表現するべきである。というのも、「そのような客観的な説明のみが、測定可能な行動を表現でき」るからであり、それらのサンプルが集まれば、パターン化を分析でき、ひいては「環境と行動との因果関係の証拠」になるからである。スキナーは、そう考えた（ズボフ 二〇二一、四一九―四二〇頁）。

少し補足しておこう。彼は行動を「オペラント」行動と名づける。その誘導は、パブロフの条件づけと対比されて、「オペラント条件づけ」と呼ばれる。行動に関わる環境条件を操作することで、個々の生物の行動を誘導する可能性が、ここでは展望されているのである。それに対して、スキナーは自由を「アクシデント（偶然の出来事）」とみなし、「自由」という概念そのものが幻想だと主張した。

こうしたスキナーの論を受けて、ズボフはそのような心理学理論をこうまとめている。

〔スキナーの意図は〕人間の無知を自由と尊厳という神聖な法服で覆い隠すことで生じる混乱を、批判することにあった。スキナーは、人々がこれらの高慢な概念を信奉するのは、「環境と行動の間にコントロール関係が存在する」という信じがたい真実から目を背けたいからだ、と主張した。しかしそのような心理的な「逃げ道」は、「人間の行動は予測できる」という証拠が増えるにつれて、ゆっくりと閉じていく。科学的分析が進むにつれて、完全な決定論から個人を除外する道は閉ざされる。（同書、四二一頁）

本書の第I部とかかわって、きわめて興味を引くくだりだろう。デジタル技術の進化によって損なわれるものを、フクヤマやサンデルは「尊厳」であると、ハラリは「自由」であると指摘していたからである。そうであるなら、スキナーの思考の系列は、当の初めからそうした「自由」や「尊厳」を消滅させることをこそ目指していたことになる。だとすれば、いまさらながらそれらの危機を主張して論を構えるのは、理論的な水準ではいささか遅れをとっている感さえあるだろう。

社会物理学とは何か

その上で、だ。ズボフは、スキナーの思想の系列として、現代における情報技術開発研究の寵児ともいえるＭＩＴのアレックス・ペントランド（一九五一年生）の仕事に読者の注意を向けている。ペントランドは、一世紀以上前にフランスの社会学者オーギュスト・コント（一七九八―一八五七年）が唱えた「社会物理学」を、デジタル技術開発の未来を方向づけるものとして捉え返し、そのラディカルなアップデートを試みている研究者である。グーグル社の役員もつとめ、世界経済フォーラムなどでも積極的な提言を繰り返している。

社会物理学とはどのようなものか。

ペントランドの研究チームは、スキナーと同じく動物行動学を活用しながら、自分たちが「リアリティ・マイニング」と呼ぶ手法を開発している。ズボフによる解説を引いておこう。ペントランドと学生は、「どのようにして、携帯電話からのデータを「用いて、個人と組織それぞれの行動群における推移する系統だった規則と構造を浮かび上がらせることができるか」を実際に提示した」（ズボフ二〇二一、四八〇頁。訳文は変更した）。オンライン上で抽出されるひとびとのデータ（正確にはひとびとが取り扱うデータの挙動についてのデータ）から当該のひとびとの行動の予測を導き出す手法（アルゴリズム）を発案した、というのである。

analysis という言葉は、こんにち、日本においても、グーグル社やアップル社からデジタルデータを扱う投資会社から教育機関にいたるまで「解析」と訳しているが、その語が指し示すのが、こうしたユーザーの行動データをもとにした分析手法にほかならない。すでにあれやこれやのアプリケーションやプラットフォームに組み込まれているが、ペントランドの研究こそ、その仕組みに関わる社会科学上の先駆的研究だったといえるだろう。

逆にいえば、人間の行動なるものについてのスキナー以来の先鋭的な理論の系譜が技術開発と結びつき、データ・アナリシスという手法が開発されたのだ。そして、社会生活の各場面で広く実装され、深く浸透するようになっている。その現実をズボフは、わたしたちの日常生活のなかにビッグ・アザーがどんどん入り込み、わたしたち人間同士の社会関係がダイナミックにコントロールされる事態が出現している、と捉えたのである。

個人合理性ではなく、集団合理性の時代

ペントランドの論を、彼自身の『社会物理学』（二〇一四年）（すでにペンギンブックスに収録され、現代の古典になっていることをしっかり見据えておこう）から少し踏み込んでみておこう。

ペントランドは、コントが考案した社会物理学と自身のそれとを差別化して、こう述べている。

> 社会物理学とは、情報や考え（idea）の流れと人々の行動の間にある、確かな数理的関係性を記述する定量的な社会科学である。（ペントランド 二〇一八、二一頁。訳文は変更した）

キーになっているのは「情報や考え（idea）の流れ」というフレーズである。これについて、さらにペントランドは言葉を足している。「社会における学びの仕組みをつうじて考え（idea）というものがあるひとから別のひとへとどのように伝わって行くのか、またそのような伝わりが企業や都市や社会の規範や生産性、創造的成果をどのように形づくっていくのか」を社会物理学は分析する、と（同頁。訳文は変更した）。

具体的にはこういうことだ。社会物理学は「なによりも、人々の間でなされる考え（idea）がなす流れに関係する」。考えの流れは、「電話上での会話」、「ソーシャルメディア上でのメッセージのやり取り」などにおける「パターン」などによって「観測される」が、それればかりではなく、「人々がどれくらいの時間を一緒に過ごしたのかや、彼女ら彼らが同じ場所を訪れていたのかどうか、似たような体験をしていたのかどうかといったパターンによっても観測されうる」。すなわち、「考え（idea）がなす流れを把握することは、社会というものの理解にとって中心となる」のだ。

早い話が、データの中身よりもデータの挙動こそが肝要だ、と論じているのである。いわばデータに関するデータこそが肝要であり、その分析を通じて、そもそものデータと取り扱っている人間の行動を予測しうる、と。

そのような予測を析出することが、「効率的な社会システム」を目指す上でも不可欠であり、さらには「行動変化とイノベーションを促す」ことにつながる、そうペントランドはいう（同書、二二頁）。ズボフが資本主義市場において「監視」が取り引きされるにいたっているというとき、実際取り引きされているのは「予測」であるということだ。

「社会的学習」の重要性を論じる人類学や、「成功した個体の真似をする」動物学までをも引きながら（同書、五二―五四頁）、ペントランドが主張するのは、「行動を示す人物（ロールモデル）と示される人物の間で多くの交流が発生し、行動を示される人物が他人の影響を受けやすい（受容性が高い）場合、新しいアイデアが受け入れられて行動変化が起きる可能性が高くなる」ということだが、ここにスキナーの行動学と共振するものをみてとるのはむずかしくない（同書、六二頁）。

考えの流れというものに軸足を置く社会物理学が新しい合理性の概念を捻出していくことになるのは、困難なくみてとれるだろう。

暴力的であることを承知でいえば、個人の水準での合理性と分けて捉えうる、集団の水準での合理性を措定するのである。「コミュニティ・オブ・プラクティス」が個々のひとびとの個々の行動に与える影響を指摘していることからも、それは窺える（同書、七七頁）。加えて、自身が携わった二つのビッグデータ研究「ソーシャル・エボリューション」と「フレンズ・アンド・ファミリー」をあげているのも、組織や家族が（個々の個人の合理性を離れた）集団として合理性を作動させるさまを前景化するためである（同書、八〇頁）。

ペントランドはいう。「人間の行動の一部は、周囲の人々（それは友人に限らない）と接することによって生じたものと考えられる」（同書、八四頁）だろう、と。そうした立論から、とりわけ「健康習慣」、「政治志向」、「消費行動」を、こうした集団合理性の理論から接近し、是正しうるのだ、と論じるのである（同書、九〇―九一頁）。

デジタル技術の発展と行動経済学を足し合わせたマカフィーとブリニョルフソンによる論は第2章

で検討したが、彼らはカーネマンの認知心理学に依拠していた。ペントランドは、さらに踏み込んで、彼の集団合理性の概念にカーネマンを活用している（同書、九四頁）。

レトリカルにいえば、意志を持つことがかえって自らの自由を抑圧する、そのような情報技術に誘導される人間が構想され、少しずつ形成されはじめている、ということになる。

三　「人間」の溶解、あるいは民主主義の溶解

集団合理性は、裏を返せば、個人を誘導するという、いわば近代の人間からすれば禁じ手の発想である。それは、計画経済を国という大きな組織の舵取りの基軸にして統制経済を置く、というイデオロギーとも共振するし、あるいは統合的なデザインを基軸にした全体主義の思想を呼び起こしたりもするかもしれない。じっさい、ズボフはスキナーからペントランドにいたる系譜に全体主義をみていた——彼女がハンナ・アーレントをたびたび引用することを思い返しておこう。

しかし、果たして集団合理性の優位を仄めかす社会物理学は、社会主義や全体主義といったものの別バージョンないし復刻版なのだろうか。そういう向きの萌芽を看取できることは否定できない。そうではあるが、他方では、社会全体の意志として現出したものが個々の人間の意志を抑圧するという格好の社会デザインの考え方になっているのかといえば、そうでもないように思われるのだ。

繰り返しになるが、スキナーの行動分析学、そしてペントランドの社会物理学は、情報技術によっ

て自由意志を自由と意志に分割する道筋が切り拓かれはじめているのではないか、という論点を生む。近代における人間像は、いまや自由と意志の間で分裂をはじめているのかもしれない。もう少しいえば、個々の人間は、自らでは意識できない行動可能性を誘導してもらうことを自らの意思で選びとり、そのプラットフォームに積極的に参加するのである。

とはいえ、それでも、なのだ。カントが敷いた近代的人間がつくりマネージメントする社会では、根底で個々人にある「人倫」が鍵となっていた。レッセ・フェールを謳うアダム・スミス（一七二三―九〇年）がものした『国富論』（一七七六年）にある「見えざる手」は、スミスのもうひとつの著作『道徳感情論』（一七五九年）の個々人にある「内なる人」が自己規制することを前提とした論立てになっている。いまや、「人倫」と呼ばれてきたもの、「内なる人」と呼ばれてきたものに、情報技術やそれを統御する主体が介入しはじめているのである。

ここにもまた、心身問題のあらたなかたちが前景化されているように思われる。心は己を制約する自身の身体を制御する力能を他者に委ねる自由をもつのか、といった心身の螺旋的な複合関係が浮上するのだ。

「情報という問い」は、近代において人間に与えられていた自由意志の行く末を、さらには自身の身体を心が所有するという考えを、溶解させはじめているのかもしれない。

第Ⅲ部では、情報なるものが、これまで人類が蓄積した世界理解、社会解釈、自己像を激しく揺さぶりながらアップデートすることを促している事態を映し出すことを試みた。読者に、日々の暮らしで活用できる場面があることをひとえに願うばかりである。

また、第Ⅲ部自体が本書の結論でもあるし、なんらかの結論を差し出すことが企てられていたわけでもないので、締めくくりにあたって特段のことを記すことはしない。

情報という言葉、もしかすると概念を入り口にして、それをとり囲む多彩な争点をまるごと括って「情報という問い」を掲げ、現代の思想、哲学、議論の少々アクロバティックな見取り図を描くことがひたすら目指された、そういえば言い訳じみた修辞になるかもしれない。

あえていっておけば、第Ⅰ部、第Ⅱ部、第Ⅲ部は、実はさまざまに相照らし合うようにも組み立ててある。あちこち気軽につまみ食いしながら、拾い読みしてモンタージュしながら、読者の生に少しでも役立てていただけるなら、書物としては最上の喜びである。

注

［第3章］

1　たとえば、サンデル 二〇一一で主に反駁されているのは、功利主義（ベンサム、ミル）と自由民主主義（カント、ロールズ）である。

［第4章］

1　情報に関する、またデータに関するこうした定義について、フロリディは若干のテクニカルな修正補強をおこなっているが、次の点への言及にとどめ、詳細には立ち入らない。たとえばGDIについては、次のような補強である。情報量を確率論的に捉えた場合に生じるバー・ヒレル＝カルナップのパラドックスをとりあげ、これについては数的定義に質的定義を加えることでクリアしている。また、情報とは区分けにほかならないというグレゴリー・ベイトソンの言葉と重なるものといえるDdについては、次のような真理値に関わる再定式化をおこない、補強している。つまり、真理値を問われる命題は、「……は真である」というフレーズが加わる場合と加わらない場合で情報は生じているのかという論理形式の手続きに関わる問題を生じさせるが、これについては真理値に関わる余剰説を更新したデフレーショニズムという近年の真理理論を批判的に検討した上で、真理条件に関わる補足条件を加え、補強している（Floridi 2011, pp. 108-133）。

2　日本語に訳されている『第四の革命』は、ほぼ一冊まるごと「インフォスフィア」と名づけられている情報環境の新しい段階に関わるものである。

［第5章］

1　この箇所での渡辺への言及は「醜い家鴨の仔の定理」へのものだが、論構成上の文脈は設計論的自然観の物理学的自然観への接続である。

［第6章］

1　このとき、じつは認識論的には、また独特の理論上の組み立てがほどこされている。シグナル的情報とシンボル的情報を腑分けしつつ統合する理論上の操作概念は、ほかでもなく先にみた「観察」だからである。それは狭い意味での精神作用の枠内で捉えられている作用ではなく、むしろ効果を産出する行為として措定されているのだ。がゆえに、その観察行為の効果こそが生命活動におけるパターン生成のエレメントになっており、もっといえば、そうした観察行為＝パターン生成こそが生命世界を構成することになっているのである。認識論が存在論に内在化されているのだ。

だが、認識論を存在論に組み込んでしまうという論法は、下手をすると、認識行為を抽象度の高い「観察」行為と捉える言い方と合わさって、少なからずマジックワードのように作用しているように映りかねない危うさももつ。シグナル的情報とシンボル的情報、これら二つの情報（そして、その担い手としての記号）のあいだにナイーブに進化論的な移行プロセスをみることは周到に回避されているものの、両者の理論的な架橋については曖昧なままであるようにみえる——とはいえ、先にも触れたように、それは現代哲学、現代科学論の最先端の難題であるようにも思える。

この課題については自覚されているし、西垣理論を丹念に読み込む研究者・原島大輔（一九八四年生）によって、その解決策の試みが探られてもいる。原島は、西垣のメタ存在論的な腑分けをダイナミックに階層的自律システムの設計に導入することを提案している。そのために彼が導入するのが、「作動領域」の取り扱いの精緻化である。端的には、機械情報の作動域と、それが対応しなければならない物質界を区別するものだが、後者について、生命情報の概念枠で対応可能な作動領域とそうでない領域を区別する方途である。これにあたって、西垣のメタ存在論的腑分けがシステム論的に実効性をもつように、閉鎖系と開放系というもうひとつの区分けを嚙み合わせるのだ。これは、システムが対応可能な作動領域を開放系、対応不可能な領域を閉鎖系とするものと考えておいてよい。「情報系」／「物質系」という二項のひとつの軸と、「閉鎖系」／「開放系」という二項のもうひとつの軸としたダイアグラムを提案するのである。そのように整理することで、情報システム論的に知ることができないもの、いわば「不可知性」について種別の議論ができるだろう、と原島はいう。すなわち、「自律的」なもの、また「階層的かつ自律的」なものは、作動ルールが自己産出される以上、それは定義上、外部から知るすべがない。それは、観察記述者の不完全性に起因する、他律系における不可知性とは異なるものである。さらにいえば、「物質的閉鎖性」が関わる領域も、形式論理上は矛盾ないし不可能なものとして記述されざるをえないため、不可知であるだろう。「存在しないものとして想定されることもあれば、存在するが観察記述者の理解の範囲を超えた例外的なふるまいによって法則を宙吊りにさせたものとして記述されることもある」だろう。「階層的自律性」という西垣理論のひとつの核がいかにメタ存在論的な理論化作業を要請するかという問いに関わって、示唆的な論である（原島 二〇一八、一四二―一四五頁）。

2 廣松渉（一九三三―九四年）の「モノ」概念を批判しつつ、確率論的な物体概念生成の考え方を谷口は支持している（谷口 二〇一四、五四―六〇頁）。

3 ピアジェの本質主義とは対照的に、同時代で一種のライバルでもあったロシアの心理学者レフ・ヴィゴツキー（一八九六―一九三四年）を構築主義として、後者にこそ深い人間理解があるとするような論立てが散見されたりもするが、本質vs.構築という二〇世紀的な対立図式に基づいた思考方法の残滓としかいえない場合も多い。そうした捉え方では、ピアジェがロボティックスで再生している実情をまったく理解することもできない上、ピアジェの知能概念の現代的な可能性に気づくことさえできないだろう。ちなみに、ピアジェとヴィゴツキーの応答については、後述する『知能の誕生』邦訳に付された浜田寿美男による解説論文（浜田 一九七八）にすでに詳しい。

4　浜田がたびたびカントの人間理解を参照枠にしていることからもそれは窺えるし、ピアジェの知能概念や理解においてはデータ的事実よりもどこか予定調和的な理論的図式が優先されているという指摘や、人間精神におけるはみ出しやほころびの重要性が十分に考慮されていないという指摘は、浅田彰の整理に通じるものである。

5　あえて断っておけば、こういった言い回しはあきらかにミスリーディングである。ウェルナー＋カプラン『シンボルの形成――言葉と表現への有機‐発達論的アプローチ』（鯨岡峻・浜田寿美男訳、ミネルヴァ書房、一九七四年）を訳し、また『身体から表象へ』という著作（浜田 二〇〇二）をものしてもいる浜田寿美男は、あくまで心の発達の仕組みについて深く掘り下げ、考察を展開してきている。

［第7章］

1　渡辺慧のような、デジタル的世界観は量子論的な世界理解図式と近似している、という着想は学術的には定着しつつあるように思える。こんにちにあっては生命科学などで「生命の数理的理解」というフレーズが飛び交ってもいて、いつの日か両者は統合されていくのかもしれない。二一世紀前半のこの段階では、二つの世界観が絡み合いながらすすんでいる――わたしたちはそうした認識を常に念頭に置いて、自らの目の前に差し出されている事象に複眼的に向き合っておいた方がよいだろう。

2　芸術作品がもし物的素材の側面から語りうるものであるとすれば、芸術上の作品という概念はそもそも消滅してしまう。この点についての現代芸術哲学上の詳細な次第については、北野 二〇二二 を参照。

3　さらに、先の著作の前に書かれた（いわゆるギブソンの三部作の真ん中のもの）である『生態学的知覚システム』（ギブソン 二〇一一）の第一一章「技術による光の構造化」においても、技術における環境構造の再構成がもつ意味について慎重な議論を展開している。

4　ギブソン自身、この点を認めているところがあるが、十分にクリアな解決策を見出していないようにみえる、というのがインゴルドの見解である（インゴルド 二〇二一、一九二―一九三頁）。

[第8章]

1　福澤諭吉の『西洋事情』（一八六六―七〇年）では「人間交際の道」、『学問のすゝめ』（一八七二―七六年）では「人間交際」となっている。

2　余談になるが、コロナ禍で「ソーシャル・ディスタンス」というフレーズに、英語に通じているはずの識者がむしろ「フィジカル・ディスタンス」の方がよいのではないかとしていた。英語圏で「フィジカル・ディスタンス」という国もなくはなかったので頷く点もないわけではなかったものの、筆者の経験からすると、人と人が（心的な水準だけでなく身体的にも）出逢う場での距離感およびその意識化という意味を含むので、「ソーシャル・ディスタンス」で別におかしいところはないだろうと感じる。

3　今、中学校や高校で起きている「いじめ」なるものの一部も、こうしたフレーム問題に関わっているのかもしれない。ある知人は、自分がいじめられているかどうかさえわからない状況に自分はいた、と筆者に述べたことがある。

4　馬場靖雄は、『ルーマンの社会理論』（馬場 二〇〇一）で、ルーマンによる「情報」と「伝達」の概念設定は、言語行為論でいう「コンスタティヴ」、「パフォーマティヴ」の概念対立と重なりあうところがある、と指摘している。山内のコミュニカビリティに近い発想で非言語的コミュニケーションの問題を人類学で探究している仕事としては、菅原 二〇一〇がある。

5　分析哲学という半ば象牙の塔と解されなくもないアカデミアとビッグテック企業のつながりはあまりに強引ではないか、という向きもあるかもしれない。けれども、人工知能の先端的研究者でありながら、分析哲学や心とはなにかにアプローチするいわゆる「心の哲学」にハイデガーなどの現象学を接続して、多くの刺激的な論文を発表していたスタンフォード大学のテリー・ウィノグラード（一九四六年生）が指導した学生のひとりが、グーグルを創設したラリー・ペイジ（一九七三年生）である。ビッグテック企業と分析哲学は、おどろくほど近いのだ。ちなみに、彼らはスラヴォイ・ジジェクなど大陸哲学系の知識人を招いた講演なども開催している。

文献一覧

外国語文献

Floridi, Luciano 2010, *Information: A Very Short Introduction*, Oxford University Press.

—— 2011, *The Philosophy of Information*, Oxford University Press.

—— 2014, *The 4th Revolution: How the Infosphere Is Reshaping Human Reality*, Oxford University Press.（＝フロリディ 二〇一七）

Groys, Boris 2010, *Going Public*, Sternberg Press.

Searle, John R. 2014, "What Your Computer Can't Know", *The New York Review of Books*, Vol. 61, No. 15 (October 9, 2014).

邦訳文献（本文の趣旨にあわせて原書から著者が訳出した箇所があることをお断りしておく）

アパデュライ、アルジュン 二〇〇四『さまよえる近代――グローバル化の文化研究』門田健一訳、平凡社。

インゴルド、ティム 二〇二一『生きていること――動く、知る、記述する』柴田崇・野中哲士・佐古仁志・原島大輔・青山慶・柳澤田実訳、左右社。

カーツワイル、レイ 二〇〇七『ポスト・ヒューマン誕生――コンピュータが人類の知性を超えるとき』井上健監訳、小野木明恵・野中香方子・福田実訳、日本放送出版協会。

―― 二〇一六『シンギュラリティは近い――人類が生命を超越するとき［エッセンス版］』NHK出版編、井

上健監訳、小野木明恵・野中香方子・福田実訳、NHK出版。　＊カーツワイル 二〇〇七をコンパクトにまとめたもの
カーネマン、ダニエル 二〇一四『ファスト&スロー――あなたの意思はどのように決まるか？』（全二冊）、村井章子訳、早川書房（ハヤカワ文庫）。

ガブリエル、マルクス 二〇一八『なぜ世界は存在しないのか』清水一浩訳、講談社（講談社選書メチエ）。

ギデンズ、アンソニー 二〇二一『モダニティと自己アイデンティティ――後期近代における自己と社会』秋吉美都・安藤太郎・筒井淳也訳、筑摩書房（ちくま学芸文庫）。

ギブソン、J・J 一九八五『生態学的視覚論――ヒトの知覚世界を探る』古崎敬・古崎愛子・辻敬一郎・村瀬旻訳、サイエンス社。

―― 二〇一一『生態学的知覚システム――感性をとらえなおす』佐々木正人・古山宣洋・三嶋博之監訳、東京大学出版会。

グロイス、ボリス 二〇二一『流れの中で――インターネット時代のアート』河村彩訳、人文書院。

サンデル、M（マイケル）・J 二〇〇九『リベラリズムと正義の限界』菊池理夫訳、勁草書房。

―― 二〇一〇『完全な人間を目指さなくてもよい理由――遺伝子操作とエンハンスメントの倫理』林芳紀・伊吹友秀訳、ナカニシヤ出版。

―― 二〇一〇―一一『民主政の不満――公共哲学を求めるアメリカ』（全二巻）、千葉大学人文社会科学研究科公共哲学センター訳、勁草書房。

―― 二〇一一『これからの「正義」の話をしよう――いまを生き延びるための哲学』鬼澤忍訳、早川書房（ハヤカワ文庫）。

ズボフ、ショシャナ 二〇二一『監視資本主義――人類の未来を賭けた闘い』野中香方子訳、東洋経済新報社。

テグマーク、マックス 二〇二〇『LIFE 3.0 ——人工知能時代に人間であるということ』水谷淳訳、紀伊國屋書店。

ノーマン、D（ドナルド）・A 二〇〇四『エモーショナル・デザイン——微笑を誘うモノたちのために』岡本明・安村通晃・伊賀聡一郎・上野晶子訳、新曜社。

—— 二〇一五『誰のためのデザイン？——認知科学者のデザイン原論』（増補・改訂版）、岡本明・安村通晃・伊賀聡一郎・野島久雄訳、新曜社。

ハイデガー、マルティン 一九八八「世界像の時代」茅野良男＋ハンス・ブロッカルト訳、『ハイデッガー全集』第五巻、創文社。

—— 一九九八『形而上学の根本諸概念』川原栄峰＋セヴェリン・ミュラー訳、『ハイデッガー全集』第二九／三〇巻、創文社。

ハラウェイ、ダナ 二〇〇〇『猿と女とサイボーグ——自然の再発明』高橋さきの訳、青土社。

ハラリ、ユヴァル・ノア 二〇一六『サピエンス全史——文明の構造と人類の幸福』（全二巻）、柴田裕之訳、河出書房新社。

—— 二〇二一『21 Lessons ——21世紀の人類のための21の思考』柴田裕之訳、河出書房新社（河出文庫）。

—— 二〇二二『ホモ・デウス——テクノロジーとサピエンスの未来』（全二冊）、柴田裕之訳、河出書房新社（河出文庫）。

フクヤマ、フランシス 二〇〇二『人間の終わり——バイオテクノロジーはなぜ危険か』鈴木淑美訳、ダイヤモンド社。

ブリニョルフソン、エリック＋アンドリュー・マカフィー 二〇一五『ザ・セカンド・マシン・エイジ』村井章子訳、日経ＢＰ社。

フロリディ、ルチアーノ 二〇一七『第四の革命――情報圏が現実をつくりかえる』春木良且・犬束敦史監訳、先端社会科学技術研究所訳、新曜社。

ベイトソン、グレゴリー 二〇〇〇『精神の生態学』（改訂第二版）、佐藤良明訳、新思索社。

ベック、ウルリッヒ 二〇一一『〈私〉だけの神――平和と暴力のはざまにある宗教』鈴木直訳、岩波書店。

ペントランド、アレックス 二〇一八『ソーシャル物理学――「良いアイデアはいかに広がるか」の新しい科学』小林啓倫訳、草思社（草思社文庫）。

ボストロム、ニック 二〇一七『スーパーインテリジェンス――超絶AIと人類の命運』倉骨彰訳、日本経済新聞出版社。

ホフマイヤー、ジェスパー 一九九九『生命記号論――宇宙の意味と表象』松野孝一郎・高原美規訳、青土社。

マカフィー、アンドリュー＋エリック・ブリニョルフソン 二〇一八『プラットフォームの経済学――機械は人と企業の未来をどう変える？』村井章子訳、日経BP社。

ムーア、ジェイソン・W 二〇二一『生命の網のなかの資本主義』山下範久監訳、山下範久・滝口良訳、東洋経済新報社。

ユクスキュル＋クリサート 二〇〇五『生物から見た世界』日高敏隆・羽田節子訳、岩波書店（岩波文庫）。

ラトゥール、ブリュノ 二〇一九『社会的なものを組み直す――アクターネットワーク理論入門』伊藤嘉高訳、法政大学出版局（叢書・ウニベルシタス）。

日本語文献

岩崎武雄 一九五二『西洋哲学史』有斐閣（教養全書）。

木田元 二〇〇〇『ハイデガー『存在と時間』の構築』岩波書店（岩波現代文庫）。
北野圭介 二〇一四『制御と社会——欲望と権力のテクノロジー』人文書院。
—— 二〇一七『新版 ハリウッド100年史講義——夢の工場から夢の王国へ』平凡社（平凡社新書）。
—— 二〇二一『ポスト・アートセオリーズ——現代芸術の語り方』人文書院。
倉田剛 二〇一七『現代存在論講義』（全二巻）、新曜社。
佐藤俊樹 一九九六『ノイマンの夢・近代の欲望——情報化社会を解体する』講談社（講談社選書メチエ）。
菅原和孝 二〇一〇『ことばと身体——「言語の手前」の人類学』講談社（講談社選書メチエ）。
谷口忠大 二〇一四『記号創発ロボティクス——知能のメカニズム入門』講談社（講談社選書メチエ）。
谷村覚 一九七八「記号としてのシェマ」、J・ピアジェ『知能の誕生』谷村覚・浜田寿美男訳、ミネルヴァ書房。
土井利忠 二〇一二「知能の起源とその創成」、土井利忠・藤田雅博・下村秀樹編『身体を持つ知能——脳科学とロボティクスの共進化』丸善出版（インテリジェンス・ダイナミクス）。
戸田山和久 二〇〇五『科学哲学の冒険——サイエンスの目的と方法をさぐる』日本放送出版協会（NHKブックス）。
西垣通 二〇〇四『基礎情報学——生命から社会へ』NTT出版。
—— 二〇〇八『続 基礎情報学——「生命的組織」のために』NTT出版。
—— 二〇一八『AI原論——神の支配と人間の自由』講談社（講談社選書メチエ）。
——編 二〇一八『基礎情報学のフロンティア——人工知能は自分の世界を生きられるか?』東京大学出版会。
馬場靖雄 二〇〇一『ルーマンの社会理論』勁草書房。
浜田寿美男 一九七八「ピアジェの発達理論の展開——問題の所在」、J・ピアジェ『知能の誕生』谷村覚・

浜田寿美男訳、ミネルヴァ書房。
――二〇〇二『身体から表象へ』ミネルヴァ書房。
原島大輔 二〇一八「階層的自律性の観察記述をめぐるメディア・アプローチ」、西垣通編『基礎情報学のフロンティア――人工知能は自分の世界を生きられるか？』東京大学出版会。
正村俊之・新睦人・遠藤薫・伊藤守 二〇一三「座談会 吉田理論の意義と残された課題」、吉田民人『社会情報学とその展開』吉田民人論集編集委員会編、勁草書房。
南野活樹 二〇一二「多様な経験から生み出されるロボットの振る舞い」、藤田雅博・下村秀樹編『発達する知能――知能を形作る相互作用』丸善出版（インテリジェンス・ダイナミクス）。
山内志朗 二〇〇一『天使の記号学』岩波書店（双書現代の哲学）。
――二〇〇七『〈畳長さ〉が大切です』岩波書店（双書哲学塾）。
吉田民人 二〇一三『近代科学の情報論的転回――プログラム科学論』吉田民人論集編集委員会編、勁草書房。
渡辺慧 一九七八『認識とパタン』岩波書店（岩波新書）。
――二〇一一『知るということ――認識学序説』筑摩書房（ちくま学芸文庫）。 ＊初版は、東京大学出版会（認知科学選書）、一九八六年

あとがき

まさか「情報」と「哲学」という二つの言葉を合わせた書名の本を書くことになるなどとは夢にも思わなかった。蛮行もほどほどにしろとあちこちからクレームが飛んできそうである。動機のようなもの、言い訳じみたようなものはすでに冒頭で記したので、付け加えることはなにもない。

一点だけ、西垣通氏の基礎情報学について筆者が『思想』（岩波書店）に書いた論文に氏自身から暖かい励ましの言葉をかけていただいたこと、それを一緒に聞いていた編集者の互盛央氏が本にまとめてみるのもよいのではないかというお誘いをしてくださったこと——その二つが大きな励みとなって蛮勇をふるうことになった。そのことは何をおいても記しておきたい。

羞恥をおしてあえていうなら、本書は、パーソナルなコミットメントが濃い仕事でもある。

筆者は、口に出すのも恥ずかしい程度であるが、じつは哲学研究者を目指していた時期がある。アメリカ合衆国の大学院での顚末については別のところで記したことがあるが、海の向こうに渡る前、つまり学部学生の頃のことだ。指導教員は分析哲学の研究者であった奥雅博先生であり、彼のゼミや講義でウィトゲンシュタインや科学哲学を学んだのだ。ほかにも、若気の至りというか激しい勘違いなのか、不埒にも『形而上学入門』をドイツ語で読む茅野良男先生のゼミ、フランクフルト学派についての徳永恂先生の講義、さらにはライプニッツの『形而上学叙説』をフランス語で読む菅野盾樹先生のゼミなどにも顔を出していた。集中講義で木田元先生のエルンスト・マッハの哲学についての授業を受けることもできた。パフォーマンスの悪い己の情けなさに毎晩枕相手にもがき呻く苦い青春時代ではあったが、哲学と聞けばまっさきに教室に座る自分の姿がよみがえる。当時読んだ岩崎武雄氏の著作に思わず本書の書きおこしで言及してしまったのも、そのせいだろう。

とまれ、情けなさがきわまってそうした環境からは這々の体で逃げ出したものの、ふりかえれば、合衆国での遊学時期よりも、より根っこのところで自身の思考回路を育んだ時期だったのかもしれない。留学先では結局のところ、戦後フランス思想を含めた大陸哲学に通じているアネット・マイケルソンとオックスフォード大学で分析哲学のトレーニングを受けたリチャード・アレンの二人を中心に多くを学んだわけだが、土壌は学部生の頃にすでに出来上がっていたのかもしれない。

そんなこんなで、本書は分析哲学と大陸哲学がゴチャ混ぜになった論考に映るかもしれない。中味の仕上がりについては諸賢の批判を待つしかないが、それはそれとして、読者に資することが書けていたとしたら、先に名前を記した先生方の授業に参加できたことが大きい、と胸を張って書いておきたい。

さらに遡ると、よりパーソナルな経緯もある。じつはピアジェを論じたところで引いた谷村覚は、筆者の義兄にあたる。年の離れた姉の、年の離れた配偶者である。

彼には、中学時分からなのでおよそ半世紀にわたって、勉強のみならず暮らしぶりにいたるまで、あれやこれや面倒をかけてきた。先に触れたようにドイツ語やフランス語が日々大量におし寄せてきていたわけだが、泡を食ったかのようになり、毎週自宅を訪ねてチュートリアルを請う筆者に、食卓のテーブルでがまんづよく付き合ってくれもした。だが、それよりも、筆者がこんにちにいたるまで、なんとか自身のバランスを保ってきているのは（よくもわるくも、河内のあんちゃんが道を踏み外したチンピラにならずにすんだのは）、ひとえに彼のおかげである。トリュフォーとバザンの関係が他人事に思えない——そういえばロマンティックすぎるだろうか。

コロナ禍の少し前、勤務先の学内シンポジウムでソニーの開発研究者・藤田雅博さんと席をともにする機会があった。下調べで彼の論文や関連論文を読んでいたところ、義兄の名前を見つけてびっくりし、その仕事に向き合い直すことになった。高校時代（浅田彰氏の『構造と力』の刊行前である）ピアジェの『知能の誕生』の頁をなにがなんだかまったくわからないまま繰っていたりもしたのだが、人工知能論やロボット工学で出逢い直すとは、まさに縁は異なもの味なものである。

本務校で受けた恩恵はそれだけではない。いつものことながら、筆者の講義やゼミで逡巡する言葉に辛抱づよく耳を傾けてくれている学生諸氏には感謝しかない。所属している映像学部というユニークな場所は映画だけではなくVRやメディア・アートも学べる場であり、日々、大島登志一氏や望月茂徳氏ら情報工学系を専門とする方々と接してもいて、彼らは筆者の駄弁にも笑顔で付き合ってくれている。情報論でわからないことに出くわしたときに気軽に尋ねることができるのは恵まれた職場であるとしかいいようがない。彼らに付き添って、各地のシーグラフアジアやフランスはラヴァルのV

Rフェスティバルを訪れることができたのも、かけがえのない経験であった。また、人工知能やロボット工学における日本を代表する研究者のひとりである谷口忠大氏が主宰する学内研究プロジェクトに参加することができたのも資するところ大であった。各氏に謝意を記しておきたい。

とはいえ、とはいえ、だ。コロナ禍もあって、また学部長職にも就いていた時期だったので、執筆というかタイピングは遅々としたものだった。にもかかわらず、なんとか刊行まで漕ぎつけることができたのはひとえに、冒頭で言及した互さんのおかげである。自身第一級の哲学者として活躍されているわけだが、氏のナビゲーションがなかったらどんな代物になっていたかと思うと、そらおそろしい。

妻と娘に　　北野圭介

二〇二二年一二月

北野圭介（きたの・けいすけ）

一九六三年、大阪府生まれ。ニューヨーク大学大学院映画研究科博士課程中途退学。ニューヨーク大学教員、新潟大学助教授を経て、現在、立命館大学映像学部教授。専門は、映画・映像理論、メディア論。ロンドン大学ゴールドスミス校客員研究員（二〇一二年九月―一三年三月）、ラサール芸術大学客員研究員（二〇二二年六月―一一月）、ハーヴァード大学エドウィン・O・ライシャワー日本研究所客員研究員（二〇二三年一一月―二四年三月）。

主な著書に、『新版ハリウッド100年史講義』（平凡社新書）、『映像論序説』、『制御と社会』、『ポスト・アートセオリーズ』（以上、人文書院）ほか。

主な訳書に、デイヴィッド・ボードウェル＋クリスティン・トンプソン『フィルム・アート』（共訳、名古屋大学出版会）、アレクサンダー・R・ギャロウェイ『プロトコル』（人文書院）ほか。

情報哲学入門

二〇二四年一月一一日 第一刷発行

著者 北野圭介

©Keisuke Kitano 2024

発行者 森田浩章
発行所 株式会社講談社
東京都文京区音羽二丁目一二―二一 〒一一二―八〇〇一
電話 (編集) 〇三―五三九五―三五一二
(販売) 〇三―五三九五―四四一五
(業務) 〇三―五三九五―三六一五

KODANSHA

装幀者 奥定泰之
本文印刷 株式会社新藤慶昌堂
カバー・表紙印刷 半七写真印刷工業株式会社
製本所 大口製本印刷株式会社

定価はカバーに表示してあります。

落丁本・乱丁本は購入書店名を明記のうえ、小社業務部あてにお送りください。送料小社負担にてお取り替えいたします。なお、この本についてのお問い合わせは、学術図書第一出版部選書メチエあてにお願いいたします。

本書のコピー、スキャン、デジタル化等の無断複製は著作権法上での例外を除き禁じられています。本書を代行業者等の第三者に依頼してスキャンやデジタル化することはたとえ個人や家庭内の利用でも著作権法違反です。Ⓡ〈日本複写権センター委託出版物〉

ISBN978-4-06-534597-9 Printed in Japan N.D.C.114 266p 19cm

講談社選書メチエの再出発に際して

講談社選書メチエの創刊は冷戦終結後まもない一九九四年のことである。長く続いた東西対立の終わりはついに世界に平和をもたらすかに思われたが、その期待はすぐに裏切られた。超大国による新たな戦争、吹き荒れる民族主義の嵐……世界は向かうべき道を見失った。そのような時代の中で、書物のもたらす知識が一人一人の指針となることを願って、本選書は刊行された。

それから二五年、世界はさらに大きく変わった。特に知識をめぐる環境は世界史的な変化をこうむったとすら言える。インターネットによる情報化革命は、知識の徹底的な民主化を推し進めた。誰もがどこでも自由に知識を入手でき、自由に知識を発信できる。それは、冷戦終結後に抱いた期待を裏切られた私たちのもとに差した一条の光明でもあった。

その光明は今も消え去ってはいない。しかし、私たちは同時に、知識の民主化が知識の失墜をも生み出すという逆説を生きている。堅く揺るぎない知識も消費されるだけの不確かな情報に埋もれることを余儀なくされ、不確かな情報が人々の憎悪をかき立てる時代が今、訪れている。

この不確かな時代、不確かさが憎悪を生み出す時代にあって必要なのは、一人一人が堅く揺るぎない知識を得、生きていくための道標を得ることである。

フランス語の「メチエ」という言葉は、人が生きていくために必要とする職、経験によって身につけられる技術を意味する。選書メチエは、読者が磨き上げられた経験のもとに紡ぎ出される思索に触れ、生きるための技術と知識を手に入れる機会を提供することを目指している。万人にそのような機会が提供されたとき初めて、知識は真に民主化され、憎悪を乗り越える平和への道が拓けると私たちは固く信ずる。

この宣言をもって、講談社選書メチエ再出発の辞とするものである。

二〇一九年二月　　野間省伸

講談社選書メチエ　哲学・思想Ⅱ

MÉTIER

近代性の構造　今村仁司
身体の零度　三浦雅士
近代日本の陽明学　小島　毅
経済倫理＝あなたは、なに主義？　橋本　努
パロール・ドネ　C・レヴィ＝ストロース　中沢新一訳
ブルデュー　闘う知識人　加藤晴久
熊楠の星の時間　中沢新一
絶滅の地球誌　澤野雅樹
共同体のかたち　菅　香子
三つの革命　佐藤嘉幸・廣瀬　純
なぜ世界は存在しないのか　マルクス・ガブリエル　清水一浩訳
「東洋」哲学の根本問題　斎藤慶典
言葉の魂の哲学　古田徹也
実在とは何か　ジョルジョ・アガンベン　上村忠男訳
創造の星　渡辺哲夫
いつもそばには本があった。　國分功一郎・互　盛央
創造と狂気の歴史　松本卓也

「私」は脳ではない　マルクス・ガブリエル　姫田多佳子訳
AI時代の労働の哲学　稲葉振一郎
西田幾多郎の哲学＝絶対無の場所とは何か　中村　昇
名前の哲学　村岡晋一
「心の哲学」批判序説　佐藤義之
贈与の系譜学　湯浅博雄
「人間以後」の哲学　篠原雅武
ドゥルーズとガタリの『哲学とは何か』を精読する　近藤和敬
自由意志の向こう側　木島泰三
自然の哲学史　米虫正巳
夢と虹の存在論　松田　毅
クリティック再建のために　木庭　顕
AI時代の資本主義の哲学　稲葉振一郎
ウィトゲンシュタインと言語の限界　ピエール・アド　合田正人訳
ときは、ながれない　八木沢　敬
非有機的生　宇野邦一
恋愛の授業　丘沢静也

最新情報は公式twitter　→@kodansha_g
公式facebook　→https://www.facebook.com/ksmetier/
公式ウェブサイト→https://gendai.media/gakujutsu/